bibliocollège

Le Malade imaginaire

Molière

Notes, questionnaires et Dossier Bibliocollège
par **Jean-Claude LANDAT**,
professeur au lycée professionnel Robert-Desnos
de Crépy-en-Valois
et professeur associé à l'IUFM d'Amiens

Crédits photographiques

pp. 8, 19, 22, 40, 49, 53, 54, 68, 95, 106, 110, 135, 148, 170, 171, 178, 181 : Hachette Livre. **pp. 5, 6** (comédien J.-L Bideau), **67, 88, 104, 161, 180 :** agence de presse Bernand. **pp. 97, 109 :** B.N.F., Paris. **pp. 63, 121 :** J.-L. Charmet. **p. 173 :** Versailles, bibliothèque municipale, photo J. Vigne. **p. 174 :** Kipa - Interpress. **p. 192 :** Cahiers du cinéma - Hachette.

Conception graphique

Couverture : *Laurent Carré*

Intérieur : *ELSE*

Mise en page

PAON

Illustration des questionnaires

Harvey Stevenson

ISBN : 978-2-01-16-7840-9

© Hachette Livre, 1999, 43, quai de Grenelle, 75905 PARIS Cedex 15.
Tous droits de traduction, de reproduction et d'adaptation réservés pour tous pays.

Sommaire

Sommaire

Introduction

S avez-vous qui, au XVIIᵉ siècle, fut à la fois auteur de pièces de théâtre, comédien, metteur en scène, directeur de troupe, fournisseur des divertissements royaux, chef de la Troupe du Roi et mourut après avoir été pris d'une convulsion sur scène en jouant *Le Malade imaginaire* ?

Vous avez trouvé : il s'agit de Jean-Baptiste Poquelin, dit Molière.

Vous savez aussi, évidemment, ce qu'est un malade imaginaire et peut-être en connaissez-vous dans votre entourage : quelqu'un qui se plaint tout le temps et qui prétend toujours souffrir des maladies les plus graves. Mais peut-être ignorez-vous le mot savant qui désigne ce genre d'individu : un hypocondriaque.

Justement, dans *Le Malade imaginaire*, présenté en 1673, Molière met en scène un hypocondriaque. Il s'agit d'Argan qui refuse que sa fille Angélique épouse Cléante sous le prétexte égoïste que ce pretendant n'est pas médecin. Il souhaite qu'elle épouse Thomas Diafoirus

parce qu'il est médecin et restera ainsi à ses côtés pour le soigner de ses maladies imaginaires. Angélique va-t-elle cependant réussir à épouser celui qu'elle aime ?

L'une des préoccupations de Molière, en mettant en scène cette intrigue, est de faire rire. Pour cela, il utilise des procédés qui relèvent de la farce : déguisements, coups de fouet, écarts de langage, pirouettes, bouffonneries, scènes burlesques. C'est aussi une comédie-ballet qui présente un prologue et trois intermèdes avec des danses, des chants, de la musique. Tout ceci plaisait beaucoup au roi Louis XIV et à ses courtisans qui participaient à ces divertissements dans un décor magnifique, vêtus de tenues somptueuses d'une grande valeur.

Mais Molière ne se contente pas de faire rire. Il veut aussi faire œuvre utile en dénonçant certaines mœurs de son époque : c'est ainsi qu'il entreprend, dans cette comédie, une amusante satire des médecins de la cour qui se comportent en hommes cupides, plus soucieux de leur intérêt que de la guérison de leurs patients.

Mais Molière mourut à la quatrième représentation : il n'eut pas le temps de jouer cette pièce devant le roi.

Celle-ci fut présentée à Louis XIV l'année suivante, sans son auteur et principal acteur, et remporta un véritable triomphe.

Aujourd'hui *Le Malade imaginaire*, dernière pièce de Molière, est toujours agréable à lire ou à voir en spectacle. Non seulement elle reste très divertissante mais elle traite aussi de thèmes universels toujours d'actualité, qui font réfléchir et dont on peut débattre : la peur de la maladie et de la mort par exemple, les pratiques de la médecine, l'amour contrarié, l'autorité d'un père, l'attitude d'une belle-mère, l'hypocrisie, la cupidité, le mensonge...

PERSONNAGES

ARGAN : malade imaginaire.

BÉLINE : seconde femme d'Argan.

ANGÉLIQUE : fille d'Argan et amante de Cléante.

LOUISON : petite fille d'Argan, et sœur d'Angélique.

BÉRALDE : frère d'Argan.

CLÉANTE : amant d'Angélique.

MONSIEUR DIAFOIRUS : médecin.

THOMAS DIAFOIRUS : son fils et amant d'Angélique.

MONSIEUR PURGON : médecin d'Argan.

MONSIEUR FLEURANT : apothicaire.

MONSIEUR BONNEFOY : notaire.

TOINETTE : servante

La scène est à Paris.

Prologue

Après les glorieuses fatigues et les exploits victorieux de notre auguste monarque[1], il est bien juste que tous ceux qui se mêlent d'écrire travaillent ou à ses louanges, ou à son divertissement. C'est ce qu'ici l'on a voulu faire, et ce

5 prologue est un essai des louanges[2] de ce grand prince, qui donne entrée à la comédie du *Malade imaginaire*, dont le projet a été fait pour le délasser de ses nobles travaux.

La décoration représente un lieu champêtre fort agréable.

notes

1. auguste monarque :
roi respectable.
2. louanges : compliments.

Églogue [1]

En musique et en danse

FLORE [2], PAN [3], CLIMÈNE, DAPHNÉ,
TIRCIS, DORILAS, DEUX ZÉPHYRS [4],
TROUPE DE BERGÈRES
ET DE BERGERS

FLORE

Quittez, quittez vos troupeaux,
10   Venez, Bergers, venez, Bergères,
Accourez, accourez sous ces tendres ormeaux :
Je viens vous annoncer des nouvelles bien chères ;
Et réjouir tous ces hameaux.
Quittez, quittez vos troupeaux,
15   Venez, Bergers, venez, Bergères,
Accourez, accourez sous ces tendres ormeaux [5].

CLIMÈNE ET DAPHNÉ

Berger, laissons là tes feux [6],
Voilà Flore qui nous appelle.

TIRCIS ET DORILAS

Mais au moins dis-moi, cruelle,

TIRCIS

20   Si d'un peu d'amitié tu payeras mes vœux [7] ?

DORILAS

Si tu seras sensible à mon ardeur [8] fidèle ?

notes

1. *églogue :* petit poème champêtre.
2. *Flore :* déesse des fleurs.
3. *Pan :* dieu des bergers et des bois.
4. *Zéphyrs :* dieux des vents.
5. *ormeaux :* petits ormes (arbres).
6. *tes feux :* tes sentiments amoureux.
7. *tu payeras mes vœux :* tu réaliseras mes souhaits.
8. *ardeur :* passion.

CLIMÈNE ET DAPHNÉ
Voilà Flore qui nous appelle.

TIRCIS ET DORILAS
Ce n'est qu'un mot, un mot, un seul mot que je veux.

TIRCIS
Languirai-je[1] toujours dans ma peine mortelle ?

DORILAS
25 *Puis-je espérer qu'un jour tu me rendras heureux ?*

CLIMÈNE ET DAPHNÉ
Voilà Flore qui nous appelle.

Entrée de ballet

Toute la troupe des Bergers et des Bergères va se placer en cadence autour de Flore.

CLIMÈNE
Quelle nouvelle parmi nous,
30 *Déesse, doit jeter tant de réjouissance ?*

DAPHNÉ
Nous brûlons d'apprendre de vous
Cette nouvelle d'importance.

DORILAS
D'ardeur nous en soupirons tous.

TOUS ENSEMBLE
Nous en mourons d'impatience.

---

note

1. languirai-je : souffrirai-je.

FLORE

35   *La voici : silence, silence !*
Vos vœux sont exaucés, LOUIS est de retour,
Il ramène en ces lieux les plaisirs et l'amour,
Et vous voyez finir vos mortelles alarmes[1].
Par ses vastes exploits son bras voit tout soumis :
40   *Il quitte les armes,*
Faute d'ennemis.

TOUS ENSEMBLE

Ah ! quelle douce nouvelle !
Qu'elle est grande ! qu'elle est belle !
Que de plaisirs ! que de ris[2] ! que de jeux !
45   *Que de succès heureux !*
Et que le Ciel a bien rempli nos vœux !
Ah ! quelle douce nouvelle !
Qu'elle est grande, qu'elle est belle !

Autre entrée de ballet

Tous les Bergers et Bergères expriment par des danses les
50   transports[3] de leur joie.

FLORE

De vos flûtes bocagères[4]
Réveillez les plus beaux sons :
LOUIS offre à vos chansons

---

notes

1. *alarmes :* inquiétudes.
2. *ris :* rires.

3. *transports :* élans
passionnés.

4. *flûtes bocagères :* flûtes
entendues dans les bois.

> La plus belle des matières.
> 55 Après cent combats,
> Où cueille son bras,
> Une ample[1] victoire,
> Formez entre vous
> Cent combats plus doux,
> 60 Pour chanter sa gloire.

TOUS

> Formons entre nous
> Cent combats plus doux,
> Pour chanter sa gloire.

FLORE

> Mon jeune amant, dans ce bois
> 65 Des présents de mon empire[2]
> Prépare un prix à la voix
> Qui saura le mieux vous dire
> Les vertus et les exploits
> Du plus auguste des rois.

CLIMÈNE

> 70 Si Tircis a l'avantage,

DAPHNÉ

> Si Dorilas est vainqueur,

CLIMÈNE

> À le chérir je m'engage.

DAPHNÉ

> Je me donne à son ardeur.

TIRCIS

> Ô trop chère espérance !

notes

1. **ample victoire :** grande victoire.

2. **des présents de mon empire :** à partir des richesses de mon empire.

DORILAS

75   *Ô mot plein de douceur !*

TOUS DEUX

Plus beau sujet, plus belle récompense
        Peuvent-ils animer un cœur ?

Les violons jouent un air pour animer les deux Bergers au
combat, tandis que Flore, comme juge, va se placer au pied
80 de l'arbre, avec deux Zéphyrs, et que le reste, comme spectateurs, va occuper les deux côtés de la scène.

TIRCIS

Quand la neige fondue enfle un torrent fameux[1]*,*
Contre l'effort soudain de ses flots écumeux
        Il n'est rien d'assez solide ;
85   *Digues, châteaux, villes, et bois,*
        Hommes et troupeaux à la fois,
        Tout cède au courant qui le guide :
        Tel, et plus fier, et plus rapide,
        Marche LOUIS dans ses exploits.

Ballet

90 Les Bergers et Bergères du côté de Tircis dansent autour de
lui, sur une ritournelle[2], pour exprimer leurs applaudisse-
ments.

notes

1. (un torrent) fameux :   **2. ritournelle :** refrain.
mémorable.

DORILAS

Le foudre[1] menaçant, qui perce avec fureur
L'affreuse obscurité de la nue[2] enflammée,
95   *Fait d'épouvante et d'horreur*
     Trembler le plus ferme cœur :
     Mais à la tête d'une armée
     LOUIS jette plus de terreur.

Ballet

Les Bergers et Bergères du côté de Dorilas font de même
100 que les autres.

TIRCIS

Des fabuleux exploits que la Grèce a chantés,
Par un brillant amas[3] de belles vérités
     Nous voyons la gloire effacée,
     Et tous ces fameux demi-dieux[4]
105   *Que vante l'histoire passée*
     Ne sont point à notre pensée
     Ce que LOUIS est à nos yeux.

Ballet

Les Bergers et Bergères du côté de Tircis font encore la
même chose.

notes

1. le foudre : la foudre.
2. la nue : le ciel, les nuages.

3. amas : accumulation.

4. demi-dieux : nés d'une union entre un Dieu (ou déesse) et un(e) mortel(le).

DORILAS

110 *LOUIS fait à nos temps, par ses faits inouïs,*
Croire tous les beaux faits que nous chante l'histoire
    Des siècles évanouis :
    Mais nos neveux[1], dans leur gloire,
    N'auront rien qui fasse croire
115   *Tous les beaux faits de LOUIS.*

Ballet

Les Bergères du côté de Dorilas font encore de même, après quoi les deux partis se mêlent.

PAN, suivi de six Faunes[2]
Laissez, laissez, Bergers, ce dessein téméraire[3].
    Hé ! que voulez-vous faire ?
120   *Chanter sur vos chalumeaux[4]*
    Ce qu'Apollon[5] sur sa lyre[6],
    Avec ses chants les plus beaux,
    N'entreprendrait[7] pas de dire,
C'est donner trop d'essor[8] au feu qui vous inspire,
125 *C'est monter vers les cieux sur des ailes de cire,*
    Pour tomber dans le fond des eaux.
Pour chanter de LOUIS l'intrépide courage,

---

notes

1. nos neveux : nos petits-fils, nos descendants.

2. faunes : divinités champêtres.

3. dessein téméraire : projet audacieux.

4. chalumeaux : petites flûtes.

5. Apollon : dieu de la Beauté et de la Lumière.

6. lyre : instrument de musique à cordes.

7. n'entreprendrait : ne tenterait pas.

8. essor : impulsion, élan.

Il n'est point d'assez docte[1] voix,
Point de mots assez grands pour en tracer l'image :
130   *Le silence est le langage*
     Qui doit louer ses exploits.
Consacrez d'autres soins à sa pleine victoire ;
Vos louanges n'ont rien qui flatte ses désirs ;
     Laissez, laissez là sa gloire,
135   *Ne songez qu'à ses plaisirs.*

TOUS
     Laissons, laissons là sa gloire,
     Ne songeons qu'à ses plaisirs.

FLORE
Bien que, pour étaler ses vertus immortelles,
     La force manque à vos esprits,
140 *Ne laissez pas[2] tous deux de recevoir le prix :*
     Dans les choses grandes et belles
     Il suffit d'avoir entrepris.

Entrée de ballet

Les deux Zéphyrs dansent avec deux couronnes de fleurs à la main, qu'ils viennent donner ensuite aux deux Bergers.

CLIMÈNE ET DAPHNÉ, en leur donnant la main
145   *Dans les choses grandes et belles*
     Il suffit d'avoir entrepris.

---

notes

1. docte : savante.

2. ne laissez pas : n'oubliez pas.

TIRCIS ET DORILAS
Ah ! que d'un doux succès notre audace est suivie !

FLORE ET PAN
Ce qu'on fait pour LOUIS, on ne le perd jamais.

LES QUATRE AMANTS
Au soin de ses plaisirs donnons-nous désormais.

FLORE ET PAN
150 *Heureux, heureux qui peut lui consacrer sa vie !*

TOUS
    Joignons tous dans ces bois
    Nos flûtes et nos voix,
    Ce jour nous y convie[1] ;
Et faisons aux échos redire mille fois :
155   *« LOUIS est le plus grand des rois ;*
Heureux, heureux qui peut lui consacrer sa vie ! »

Dernière et grande entrée de ballet

Faunes, Bergers et Bergères, tous se mêlent, et il se fait entre eux des jeux de danse, après quoi ils se vont préparer pour la comédie.

note

1. convie : invite.

Au fil du texte

AVEZ-VOUS BIEN LU ?

1. À qui s'adresse ce prologue* ?

2. Décrivez le décor présenté.

3. Qui sont les personnages en présence ?

4. Quels sont les thèmes* dominants ?

ÉTUDIER LE DISCOURS

prologue : **première partie de la pièce de théâtre.**

thèmes : **sujets développés dans le texte.**

églogue : **petit poème champêtre.**

5. Qu'annonce Flore aux Bergères et Bergers ?

6. Que doivent faire Tircis et Dorilas ?

7. Y parviennent-ils ? Pourquoi ?

ÉTUDIER LE VOCABULAIRE

8. Relevez les termes qui glorifient LOUIS.

9. Que pouvez-vous en déduire quant aux intentions de Molière ?

10. Relevez les termes qui font référence à la musique et à la danse.

11. Comment peut-on appeler un tel spectacle ?

ÉTUDIER L'ÉCRITURE DE L'ÉGLOGUE*

12. Justifiez l'appellation d'*églogue* en nommant les formes poétiques et en listant les principaux thèmes.

ÉTUDIER LA FONCTION DE L'EXTRAIT

13. Quel est selon vous l'intérêt de ce prologue :

a) pour Molière ?

b) pour le roi Louis XIV ?

c) pour le spectateur de l'époque ?

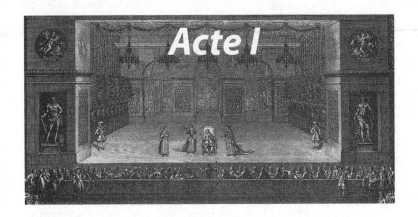

Acte I

Scène 1 Argan

Argan, *seul dans sa chambre assis, une table devant lui, compte des parties d'apothicaire*[1] *avec des jetons ; il fait, parlant à lui-même, les dialogues suivants.* Trois et deux font cinq, et cinq font dix, et dix font vingt. Trois et deux font cinq.

5 « Plus, du vingt-quatrième, un petit clystère insinuatif, préparatif et rémollient[2], pour amollir, humecter et rafraîchir les entrailles de monsieur. » Ce qui me plaît de monsieur Fleurant, mon apothicaire, c'est que ses parties sont toujours fort civiles[3] : « les entrailles de

10 monsieur, trente sols ». Oui, mais, monsieur Fleurant, ce n'est pas tout que d'être civil, il faut être aussi raisonnable, et ne pas écorcher les malades. Trente sols un

lavement ! Je suis votre serviteur[1], je vous l'ai déjà dit. Vous ne me les avez mis dans les autres parties qu'à vingt sols, et
15 vingt sols en langage d'apothicaire, c'est-à-dire dix sols ; les voilà, dix sols. « Plus, dudit jour, un bon clystère détersif[2], composé avec catholicon[3] double, rhubarbe, miel rosat, et autres, suivant l'ordonnance, pour balayer, laver et nettoyer le bas-ventre de monsieur, trente sols. » Avec votre permis-
20 sion, dix sols. « Plus, dudit jour, le soir, un julep hépatique, soporatif[4], et somnifère, composé pour faire dormir mon-sieur, trente-cinq sols. » Je ne me plains pas de celui-là, car il me fit bien dormir. Dix, quinze, seize et dix-sept sols, six deniers. « Plus, du vingt-cinquième, une bonne médecine
25 purgative et corroborative[5], composée de casse récente avec séné levantin[6], et autres, suivant l'ordonnance de monsieur Purgon, pour expulser et évacuer la bile de monsieur, quatre livres. » Ah ! monsieur Fleurant, c'est se moquer ; il faut vivre avec les malades. Monsieur Purgon
30 ne vous a pas ordonné de mettre quatre francs. Mettez, mettez trois livres, s'il vous plaît. Vingt et trente sols. « Plus, dudit jour, une potion anodine et astringente[7], pour faire reposer monsieur, trente sols. » Bon, dix et quinze sols. « Plus, du vingt-sixième, un clystère carminatif[8], pour
35 chasser les vents de monsieur, trente sols. » Dix sols, mon-sieur Fleurant. « Plus le clystère de monsieur réitéré[9] le soir, comme dessus, trente sols. » Monsieur Fleurant, dix

---

notes

1. je suis votre serviteur : je ne suis pas d'accord avec vous.

2. détersif : pour nettoyer.

3. catholicon : sirop.

4. julep hépatique, soporatif : potion pour le foie qui fait transpirer.

5. médecine purgative et corroborative : remède qui purge et redonne de la force.

6. casse, séné levantin : végétaux exotiques utilisés dans la fabrication de remèdes purgatifs.

7. potion anodine et astringente : potion qui calme la douleur et resserre les tissus.

8. carminatif : qui fait expulser les gaz intestinaux (les vents).

9. réitéré : renouvelé.

sols. « Plus, du vingt-septième, une bonne médecine composée pour hâter d'aller, et chasser dehors les mauvaises
40   humeurs[1] de monsieur, trois livres. » Bon, vingt et trente
sols : je suis bien aise que vous soyez raisonnable. « Plus, du
vingt-huitième, une prise de petit-lait clarifié, et dulcoré[2],
pour adoucir, lénifier[3], tempérer, et rafraîchir le sang de
monsieur, vingt sols. » Bon, dix sols. « Plus une potion cor-
45   diale et préservative[4], composée avec douze grains de
bézoard[5], sirops de limon[6] et grenade, et autres, suivant
l'ordonnance, cinq livres. » Ah ! monsieur Fleurant, tout
doux, s'il vous plaît ; si vous en usez comme cela, on ne
voudra plus être malade : contentez-vous de quatre francs.
50   Vingt et quarante sols. Trois et deux font cinq, et cinq font
dix, et dix font vingt. Soixante et trois livres, quatre sols, six
deniers. Si bien donc que de ce mois j'ai pris une, deux,
trois, quatre, cinq, six, sept et huit médecines ; et un, deux,
trois, quatre, cinq, six, sept, huit, neuf, dix, onze et douze
55   lavements ; et l'autre mois il y avait douze médecines, et
vingt lavements. Je ne m'étonne pas si je ne me porte pas
si bien ce mois-ci que l'autre. Je le dirai à monsieur
Purgon, afin qu'il mette ordre à cela. Allons, qu'on m'ôte
tout ceci. Il n'y a personne : j'ai beau dire, on me laisse tou-
60   jours seul ; il n'y a pas moyen de les arrêter ici. *(Il agite une
sonnette pour faire venir ses gens.)* Ils n'entendent point, et ma
sonnette ne fait pas assez de bruit. Drelin, drelin, drelin :
point d'affaire. Drelin, drelin, drelin : ils sont sourds.

Toinette ! Drelin, drelin, drelin : tout comme si je ne son-
65 nais point. Chienne, coquine ! Drelin, drelin, drelin : j'enrage *(Il ne sonne plus mais il crie.)* Drelin, drelin, drelin :
carogne[1], à tous les diables ! Est-il possible qu'on laisse
comme cela un pauvre malade tout seul ? Drelin, drelin,
drelin : voilà qui est pitoyable ! Drelin, drelin, drelin :
70 ah, mon Dieu ! ils me laisseront ici mourir. Drelin, drelin,
drelin.

Argan, gravure d'après Horace Vernet.

note

1. carogne : femme odieuse.

Au fil du texte

AVEZ-VOUS BIEN LU ?

1. Qui est sur scène ?

2. En quel lieu ?

3. Quels sont les meubles, les objets que le spectateur peut apercevoir ?

4. Comment imaginez-vous la tenue vestimentaire de l'acteur ?

5. Que fait-il ?

6. De quoi parle-t-il ?

ÉTUDIER LE DISCOURS

7. À qui Argan s'adresse-t-il successivement ?

8. Ses interlocuteurs lui répondent-ils ? Pourquoi ?

9. Qu'est-ce qui fait ressembler ce monologue* à un dialogue ?

ÉTUDIER LA FONCTION DE L'EXTRAIT

10. Quelle est l'obsession d'Argan ?

11. Quel semble être le souci principal de ceux à qui il s'adresse ?

12. Expliquez la relation entre vos réponses aux deux questions précédentes et le titre de la pièce.

13. Qu'en déduisez-vous pour la suite ?

14. Que manque-t-il cependant à cette première scène pour qu'elle soit véritablement une scène d'exposition* ?

monologue : un personnage est seul en scène et s'adresse à lui-même ; le monologue prend quelquefois la forme d'un dialogue fictif avec d'autres personnages.

scène d'exposition : la (ou les) première(s) scène(s) qui donne(nt) des indications sur
- les lieux et le moment de l'action ;
- les personnages et les liens qui les unissent ;
- l'action qui se prépare.
Elle répond aux questions : OÙ ? QUAND ? QUI ? POURQUOI ? et crée une attente pour le lecteur ou le spectateur.

À VOS PLUMES !

15. Vous êtes metteur en scène* et vous rédigez pour l'acteur qui joue le rôle d'Argan un texte précisant les gestes, les mouvements qu'il doit faire ainsi que les tons*, les expressions du visage et les attitudes qu'il doit prendre lorsqu'il joue le passage de la ligne 58 à la fin de la scène.

MISE EN SCÈNE

metteur en scène : il ou elle s'occupe de la représentation et dirige les acteurs en leur indiquant la façon de bouger et de s'exprimer.

ton : manière de s'exprimer.

16. Jouez maintenant l'extrait étudié en suivant les indications données en réponse à la question 15.

17. Comparez votre jeu à celui d'acteurs professionnels à partir de cassettes vidéo. Faites un tableau avec les principales ressemblances et différences.

ÉTUDIER LE COMIQUE

18. Cette scène vous a-t-elle fait rire ?

19. Faites la liste des principaux procédés qui ont permis de déclencher le rire.

20. Quels sont les autres moments comiques de cette première scène ?

Scène 2   TOINETTE, ARGAN

TOINETTE, *en entrant dans la chambre* – On y va.

ARGAN – Ah! chienne! ah! carogne…!

TOINETTE, *faisant semblant de s'être cogné la tête* – Diantre soit
75   fait de votre impatience! vous pressez si fort les personnes
que je me suis donné un grand coup de la tête contre la
carne[1] d'un volet.

ARGAN, *en colère* – Ah! traîtresse…!

TOINETTE, *pour l'interrompre et l'empêcher de crier, se plaint tou-*
80   *jours, en disant* – Ah!

ARGAN – Il y a…

TOINETTE – Ah!

ARGAN – Il y a une heure…

TOINETTE – Ah!

85   ARGAN – Tu m'as laissé…

TOINETTE – Ah!

ARGAN – Tais-toi donc, coquine, que je te querelle.

TOINETTE – Çamon[2], ma foi! j'en suis d'avis, après ce que je
me suis fait.

90   ARGAN – Tu m'as fait égosiller[3], carogne.

TOINETTE – Et vous m'avez fait, vous, casser la tête : l'un vaut
bien l'autre ; quitte à quitte[4], si vous voulez.

ARGAN – Quoi ? coquine…

---

notes

1. carne : angle saillant, qui ressort.

2. çamon : oui, vraiment !

3. égosiller : se faire mal à la gorge à force de crier.

4. quitte à quitte : nous sommes quittes.

TOINETTE – Si vous querellez, je pleurerai.

95 **ARGAN** – Me laisser, traîtresse…

TOINETTE, *toujours pour l'interrompre* – Ah !

ARGAN – Chienne ! tu veux…

TOINETTE – Ah !

ARGAN – Quoi ? il faudra encore que je n'aie pas le plaisir
100 de la quereller.

TOINETTE – Querellez tout votre soûl[1], je le veux bien.

ARGAN – Tu m'en empêches, chienne, en m'interrompant à
tous coups.

TOINETTE – Si vous avez le plaisir de quereller, il faut bien
105 que, de mon côté, j'aie le plaisir de pleurer : chacun le sien,
ce n'est pas trop. Ah !

ARGAN – Allons, il faut en passer par là. Ôte-moi ceci,
coquine, ôte-moi ceci. *(Argan se lève de sa chaise.)* Mon lavement d'aujourd'hui a-t-il bien opéré ?

110 **TOINETTE** – Votre lavement ?

ARGAN – Oui. Ai-je bien fait de la bile ?

TOINETTE – Ma foi ! je ne me mêle point de ces affaires-là :
c'est à monsieur Fleurant à y mettre le nez, puisqu'il en a
le profit.

115 **ARGAN** – Qu'on ait soin de me tenir un bouillon prêt pour
l'autre que je dois tantôt prendre.

TOINETTE – Ce monsieur Fleurant-là et ce monsieur Purgon
s'égayent[2] bien sur votre corps ; ils ont en vous une bonne
vache à lait ; et je voudrais bien leur demander quel mal
120 vous avez, pour vous faire tant de remèdes.

notes

1. tout votre soûl : tant que
vous voudrez. **2. s'égayent :** s'amusent.

ARGAN – Taisez-vous, ignorante, ce n'est pas à vous à contrôler les ordonnances[1] de la médecine. Qu'on me fasse venir ma fille Angélique, j'ai à lui dire quelque chose.

TOINETTE – La voici qui vient d'elle-même : elle a deviné votre pensée.

125

Scène 3   ANGÉLIQUE, TOINETTE, ARGAN

ARGAN – Approchez, Angélique ; vous venez à propos : je voulais vous parler.

ANGÉLIQUE – Me voilà prête à vous ouïr[2].

ARGAN, *courant au bassin* – Attendez. Donnez-moi mon bâton. Je vais revenir tout à l'heure.

130

TOINETTE, *en le raillant*[3] – Allez vite, monsieur, allez. Monsieur Fleurant nous donne des affaires.

Scène 4   ANGÉLIQUE, TOINETTE

ANGÉLIQUE, *la regardant d'un œil languissant*[4], *lui dit confidemment*[5] – Toinette.

135

TOINETTE – Quoi ?

ANGÉLIQUE – Regarde-moi un peu.

TOINETTE – Hé bien ! je vous regarde.

notes

---

1. les ordonnances : prescriptions d'un médecin.
2. ouïr : entendre.

3. en le raillant : en se moquant de lui.

4. languissant : amoureux et mélancolique.
5. confidemment : pour garder un secret.

ANGÉLIQUE – Toinette.

TOINETTE – Hé bien, quoi, Toinette ?

140 ANGÉLIQUE – Ne devines-tu point de quoi je veux parler ?

TOINETTE – Je m'en doute assez, de notre jeune amant ; car c'est sur lui, depuis six jours, que roulent tous nos entretiens[1] ; et vous n'êtes point bien si vous n'en parlez à toute heure.

145 ANGÉLIQUE – Puisque tu connais cela, que n'es-tu donc la première à m'en entretenir, et que ne m'épargnes-tu la peine de te jeter sur ce discours ?

TOINETTE – Vous ne m'en donnez pas le temps, et vous avez des soins là-dessus qu'il est difficile de prévenir.

150 ANGÉLIQUE – Je t'avoue que je ne saurais me lasser de te parler de lui, et que mon cœur profite avec chaleur de tous les moments de s'ouvrir à toi. Mais dis-moi, condamnes-tu, Toinette, les sentiments que j'ai pour lui ?

TOINETTE – Je n'ai garde.

155 ANGÉLIQUE – Ai-je tort de m'abandonner à ces douces impressions ?

TOINETTE – Je ne dis pas cela.

ANGÉLIQUE – Et voudrais-tu que je fusse insensible aux tendres protestations de cette passion ardente qu'il 160 témoigne pour moi ?

TOINETTE – À Dieu ne plaise !

ANGÉLIQUE – Dis-moi un peu, ne trouves-tu pas, comme moi, quelque chose du Ciel, quelque effet du destin, dans l'aventure inopinée[2] de notre connaissance[3] ?

---

notes

1. entretiens : conversations.   **2. inopinée :** imprévue.   **3. connaissance :** rencontre.

165   **TOINETTE** – Oui.

ANGÉLIQUE – Ne trouves-tu pas que cette action d'embrasser ma défense[1] sans me connaître est tout à fait d'un honnête homme ?

TOINETTE – Oui.

170   **ANGÉLIQUE** – Que l'on ne peut en user plus généreusement ?

TOINETTE – D'accord.

ANGÉLIQUE – Et qu'il fit tout cela de la meilleure grâce du monde ?

175   **TOINETTE** – Oh ! oui.

ANGÉLIQUE – Ne trouves-tu pas, Toinette, qu'il est bien fait de sa personne ?

TOINETTE – Assurément.

ANGÉLIQUE – Qu'il a l'air le meilleur du monde ?

180   **TOINETTE** – Sans doute.

ANGÉLIQUE – Que ses discours, comme ses actions, ont quelque chose de noble ?

TOINETTE – Cela est sûr.

ANGÉLIQUE – Qu'on ne peut rien entendre de plus pas-
185   sionné que tout ce qu'il me dit ?

TOINETTE – Il est vrai.

ANGÉLIQUE – Et qu'il n'est rien de plus fâcheux que la contrainte où l'on me tient, qui bouche tout commerce[2] aux doux empressements de cette mutuelle ardeur[3] que le
190   Ciel nous inspire ?

notes

1. *embrasser ma défense :* prendre ma défense.

2. *qui bouche tout commerce :* qui interdit toute fréquentation.

3. *mutuelle ardeur :* passion réciproque.

TOINETTE – Vous avez raison.

ANGÉLIQUE – Mais, ma pauvre Toinette, crois-tu qu'il m'aime autant qu'il me le dit ?

TOINETTE – Hé ! hé ! ces choses-là, parfois, sont un peu sujettes à caution[1]. Les grimaces d'amour ressemblent fort à la vérité ; et j'ai vu de grands comédiens là-dessus.

ANGÉLIQUE – Ah ! Toinette, que dis-tu là ? Hélas ! de la façon qu'il parle, serait-il bien possible qu'il ne me dît pas vrai ?

TOINETTE – En tous cas, vous en serez bientôt éclaircie ; et la résolution où il vous écrivit hier qu'il était de vous faire demander en mariage est une prompte[2] voie à vous faire connaître s'il vous dit vrai, ou non : c'en sera là la bonne preuve.

ANGÉLIQUE – Ah ! Toinette, si celui-là me trompe, je ne croirai de ma vie aucun homme.

TOINETTE – Voilà votre père qui revient.

Scène 5   ARGAN, ANGÉLIQUE, TOINETTE

ARGAN *se met dans sa chaise* – Ô çà, ma fille, je vais vous dire une nouvelle, où peut-être ne vous attendez-vous pas. On vous demande en mariage. Qu'est-ce que cela ? vous riez. Cela est plaisant, oui, ce mot de mariage ; il n'y a rien de plus drôle pour les jeunes filles : ah ! nature, nature ! À ce que je puis voir, ma fille, je n'ai que faire de vous demander si vous voulez bien vous marier.

notes

1. *sujettes à caution :* délicates.

2. *prompte :* rapide.

ANGÉLIQUE – Je dois faire, mon père, tout ce qu'il vous plaira
215   de m'ordonner.

ARGAN – Je suis bien aise d'avoir une fille si obéissante. La
chose est donc conclue, et je vous ai promise[1].

ANGÉLIQUE – C'est à moi, mon père, de suivre aveuglément
toutes vos volontés.

220   **ARGAN** – Ma femme, votre belle-mère, avait envie que je
vous fisse religieuse, et votre petite sœur Louison aussi, et
de tout temps elle a été aheurtée[2] à cela.

TOINETTE, *tout bas* – La bonne bête a ses raisons.

ARGAN – Elle ne voulait point consentir à ce mariage, mais
225   je l'ai emporté, et ma parole est donnée.

ANGÉLIQUE – Ah! mon père, que je vous suis obligée[3] de
toutes vos bontés.

TOINETTE – En vérité, je vous sais bon gré de cela[4], et voilà
l'action la plus sage que vous ayez faite de votre vie.

230   **ARGAN** – Je n'ai point encore vu la personne ; mais on m'a
dit que j'en serais content, et toi aussi.

ANGÉLIQUE – Assurément, mon père.

ARGAN – Comment l'as-tu vu ?

ANGÉLIQUE – Puisque votre consentement m'autorise à vous
235   ouvrir mon cœur, je ne feindrai point de[5] vous dire que le
hasard nous a fait connaître il y a six jours, et que la
demande qu'on vous a faite est un effet de l'inclination
que, dès cette première vue, nous avons prise l'un pour
l'autre.

notes

1. je vous ai promise : j'ai
promis de vous donner en
mariage.

2. aheurtée : obstinée,
entêtée.

3. je vous suis obligée : je
vous suis reconnaissante.

4. je vous sais bon gré : je suis
satisfaite et vous remercie.

5. je ne feindrai point de : je
n'hésiterai pas.

240 ARGAN – Ils ne m'ont pas dit cela ; mais j'en suis bien aise, et c'est tant mieux que les choses soient de la sorte. Ils disent que c'est un grand jeune garçon bien fait.

ANGÉLIQUE – Oui, mon père.

ARGAN – De belle taille.

245 ANGÉLIQUE – Sans doute.

ARGAN – Agréable de sa personne.

ANGÉLIQUE – Assurément.

ARGAN – De bonne physionomie.

ANGÉLIQUE – Très bonne.

250 ARGAN – Sage, et bien né.

ANGÉLIQUE – Tout à fait.

ARGAN – Fort honnête.

ANGÉLIQUE – Le plus honnête du monde.

ARGAN – Qui parle bien latin, et grec.

255 ANGÉLIQUE – C'est ce que je ne sais pas.

ARGAN – Et qui sera reçu médecin dans trois jours.

ANGÉLIQUE – Lui, mon père ?

ARGAN – Oui. Est-ce qu'il ne te l'a pas dit ?

ANGÉLIQUE – Non vraiment. Qui vous l'a dit à vous ?

260 ARGAN – Monsieur Purgon.

ANGÉLIQUE – Est-ce que monsieur Purgon le connaît ?

ARGAN – La belle demande ! il faut bien qu'il le connaisse, puisque c'est son neveu.

ANGÉLIQUE – Cléante, neveu de monsieur Purgon ?

265 ARGAN – Quel Cléante ? Nous parlons de celui pour qui l'on t'a demandée en mariage.

ANGÉLIQUE – Hé ! oui.

ARGAN – Hé bien, c'est le neveu de monsieur Purgon, qui est le fils de son beau-frère le médecin, monsieur
270 Diafoirus ; et ce fils s'appelle Thomas Diafoirus, et non pas Cléante ; et nous avons conclu ce mariage-là ce matin, monsieur Purgon, monsieur Fleurant et moi, et, demain, ce gendre prétendu[1] doit m'être amené par son père. Qu'est-ce ? vous voilà tout ébaubie[2] ?

275 **ANGÉLIQUE** – C'est, mon père, que je connais que vous avez parlé d'une personne, et que j'ai entendu une autre.

TOINETTE – Quoi ? monsieur, vous auriez fait ce dessein burlesque[3] ? Et avec tout le bien que vous avez, vous voudriez marier votre fille avec un médecin ?

280 **ARGAN** – Oui. De quoi te mêles-tu, coquine, impudente[4] que tu es ?

TOINETTE – Mon Dieu ! tout doux : vous allez d'abord aux invectives[5]. Est-ce que nous ne pouvons pas raisonner ensemble sans nous emporter ? Là, parlons de sang-froid.
285 Quelle est votre raison, s'il vous plaît, pour un tel mariage ?

ARGAN – Ma raison est que, me voyant infirme et malade comme je suis, je veux me faire un gendre et des alliés médecins[6], afin de m'appuyer de bons secours[7] contre ma maladie, d'avoir dans ma famille les sources des remèdes
290 qui me sont nécessaires, et d'être à même des consultations et des ordonnances.

---

notes

1. gendre prétendu : prétendant, futur gendre.

2. tout ébaubie : surprise au point de bégayer.

3. dessein burlesque : projet ridicule.

4. impudente : effrontée, insolente.

5. invectives : paroles violentes, injures.

6. alliés médecins : médecins parents par alliance.

7. m'appuyer de bons secours : profiter de bons secours.

TOINETTE – Hé bien! voilà dire une raison, et il y a plaisir à se répondre doucement les uns aux autres. Mais, monsieur, mettez la main à la conscience : est-ce que vous êtes
295 malade ?

ARGAN – Comment, coquine, si je suis malade ? si je suis malade, impudente ?

TOINETTE – Hé bien! oui, monsieur, vous êtes malade, n'ayons point de querelle là-dessus ; oui, vous êtes fort
300 malade, j'en demeure d'accord, et plus malade que vous ne pensez : voilà qui est fait. Mais votre fille doit épouser un mari pour elle ; et, n'étant point malade, il n'est pas nécessaire de lui donner un médecin.

ARGAN – C'est pour moi que je lui donne ce médecin ; et
305 une fille de bon naturel doit être ravie d'épouser ce qui est utile à la santé de son père.

TOINETTE – Ma foi! monsieur, voulez-vous qu'en amie je vous donne un conseil ?

ARGAN – Quel est-il ce conseil ?

310 TOINETTE – De ne point songer à ce mariage-là.

ARGAN – Et la raison ?

TOINETTE – La raison ? C'est que votre fille n'y consentira point.

ARGAN – Elle n'y consentira point ?

315 TOINETTE – Non.

ARGAN – Ma fille ?

TOINETTE –Votre fille. Elle vous dira qu'elle n'a que faire de monsieur Diafoirus, ni de son fils Thomas Diafoirus, ni de tous les Diafoirus du monde.

320 ARGAN – J'en ai affaire, moi, outre que le parti est plus avantageux qu'on ne pense. Monsieur Diafoirus n'a que ce fils-là pour tout héritier ; et, de plus, monsieur Purgon, qui n'a ni femme, ni enfants, lui donne tout son bien, en faveur de ce mariage ; et monsieur Purgon est un homme qui a huit
325 mille bonnes livres de rente[1].

TOINETTE – Il faut qu'il ait tué bien des gens, pour s'être fait si riche.

ARGAN – Huit mille livres de rente sont quelque chose, sans compter le bien du père.

330 TOINETTE – Monsieur, tout cela est bel et bon ; mais j'en reviens toujours là : je vous conseille, entre nous, de lui choisir un autre mari, et elle n'est point faite pour être madame Diafoirus.

ARGAN – Et je veux, moi, que cela soit.

335 TOINETTE – Eh fi[2]! ne dites pas cela.

ARGAN – Comment, que je ne dise pas cela ?

TOINETTE – Hé non !

ARGAN – Et pourquoi ne le dirai-je pas ?

TOINETTE – On dira que vous ne songez pas à ce que vous
340 dites.

ARGAN – On dira ce qu'on voudra ; mais je vous dis que je veux qu'elle exécute la parole que j'ai donnée.

TOINETTE – Non : je suis sûre qu'elle ne le fera pas.

ARGAN – Je l'y forcerai bien.

345 TOINETTE – Elle ne le fera pas, vous dis-je.

---

notes

1. rente : revenu. **2. fi ! :** interjection exprimant le dédain, le mépris.

ARGAN – Elle le fera, ou je la mettrai dans un couvent.

TOINETTE – Vous ?

ARGAN – Moi.

TOINETTE – Bon.

350 ARGAN – Comment, « bon » ?

TOINETTE – Vous ne la mettrez point dans un couvent.

ARGAN – Je ne la mettrai point dans un couvent ?

TOINETTE – Non.

ARGAN – Non ?

355 TOINETTE – Non.

ARGAN – Ouais ! voici qui est plaisant : je ne mettrai pas ma
fille dans un couvent, si je veux ?

TOINETTE – Non, vous dis-je.

ARGAN – Qui m'en empêchera ?

360 TOINETTE – Vous-même.

ARGAN – Moi ?

TOINETTE – Oui, vous n'aurez pas ce cœur-là[1].

ARGAN – Je l'aurai.

TOINETTE – Vous vous moquez.

365 ARGAN – Je ne me moque point.

TOINETTE – La tendresse paternelle vous prendra.

ARGAN – Elle ne me prendra point.

TOINETTE – Une petite larme ou deux, des bras jetés au cou,
un « mon petit papa mignon », prononcé tendrement, sera
370 assez pour vous toucher.

note

1. *cœur* : courage.

ARGAN – Tout cela ne fera rien.

TOINETTE – Oui, oui.

ARGAN – Je vous dis que je n'en démordrai point.

TOINETTE – Bagatelles[1].

375 ARGAN – Il ne faut point dire « bagatelles ».

TOINETTE – Mon Dieu ! je vous connais, vous êtes bon naturellement.

ARGAN, *avec emportement* – Je ne suis point bon, et je suis méchant quand je veux.

380 TOINETTE – Doucement, monsieur : vous ne songez pas que vous êtes malade.

ARGAN – Je lui commande absolument de se préparer à prendre le mari que je dis.

TOINETTE – Et moi, je lui défends absolument d'en faire
385 rien.

ARGAN – Où est-ce donc que nous sommes ? et quelle audace est-ce là à une coquine de servante de parler de la sorte devant son maître ?

TOINETTE – Quand un maître ne songe pas à ce qu'il fait,
390 une servante bien sensée est en droit de le redresser[2].

ARGAN *court après Toinette* – Ah ! insolente, il faut que je t'assomme.

TOINETTE *se sauve de lui* – Il est de mon devoir de m'opposer aux choses qui vous peuvent déshonorer.

395 ARGAN, *en colère, court après elle autour de sa chaise, son bâton à la main* – Viens, viens, que je t'apprenne à parler.

---

notes

1. bagatelles : choses sans importance.

2. redresser : remettre dans le droit chemin.

TOINETTE, *courant, et se sauvant du côté de la chaise où n'est pas Argan* – Je m'intéresse, comme je dois, à ne vous point laisser faire de folie.

400 **ARGAN** – Chienne !

TOINETTE – Non, je ne consentirai jamais à ce mariage.

ARGAN – Pendarde[1] !

TOINETTE – Je ne veux point qu'elle épouse votre Thomas Diafoirus.

405 **ARGAN** – Carogne !

TOINETTE – Et elle m'obéira plutôt qu'à vous.

ARGAN – Angélique, tu ne veux pas m'arrêter cette coquine-là ?

ANGÉLIQUE – Eh ! mon père, ne vous faites point malade.

410 **ARGAN** – Si tu ne me l'arrêtes, je te donnerai ma malédiction.

TOINETTE – Et moi, je la déshériterai, si elle vous obéit.

ARGAN *se jette dans sa chaise, étant las de courir après elle* – Ah ! ah ! je n'en puis plus. Voilà pour me faire mourir.

---

note

1. pendarde : qui devrait être pendue.

Au fil du texte

QUE S'EST-IL PASSÉ ENTRE-TEMPS ?

1. Après le monologue d'Argan, Toinette finit par apparaître sur scène. Comment se comporte-t-elle à l'égard d'Argan ?

2. Que pense-t-elle des soins et des médecins qui entourent Argan ?

3. Pourquoi Argan doit-il s'absenter à la scène 3 ?

4. Quel est le sujet dont Angélique ne se *« lasse pas de parler »* à la scène 4 ?

AVEZ-VOUS BIEN LU ?

5. De quelle décision Argan informe-t-il sa fille ?

6. Comment Angélique et Toinette réagissent-elles ?

quiproquo : malentendu entre des personnages qui prennent une personne ou une chose pour une autre.

nœud de l'action : moment où un conflit naît entre des personnages.

ÉTUDIER LE QUIPROQUO* (LIGNES 207 À 276)

7. À qui pense Argan pour le mariage de sa fille ?

8. À qui pense Angélique ?

9. Relevez les éléments qui vont peu à peu semer le doute dans les esprits.

10. Citez la réplique d'Angélique qui clarifie la situation et qui pourrait servir de définition au mot *quiproquo.*

11. Quel est le nœud de l'action* ainsi mis en place ?

ÉTUDIER LE VOCABULAIRE

12. Citez les mots et expressions qui dressent le portrait de Cléante.

13. Comparez ce vocabulaire à celui utilisé par Angélique dans la scène 4.

À VOS PLUMES !

14. À l'aide de ces relevés, faites le portrait du mari idéal pour Angélique, puis celui du gendre idéal pour Argan.

15. Décrivez la scène qui représenterait Toinette et Argan au cours de leur dispute : position, attitude des personnages...

farce : pièce comique populaire qui utilise pour faire rire des procédés tels que les déguisements, les coups de fouet, les écarts de langage, les pirouettes, bouffonneries et scènes extravagantes.

ÉTUDIER LE COMIQUE

16. Quels sont les procédés de la farce* utilisés par Molière aux lignes 277 à la fin de la scène ?

17. Quel effet la mise en scène de cet extrait peut-elle produire chez le spectateur ?

LIRE L'IMAGE

18. Décrivez le tableau de la page ci-contre pour quelqu'un qui ne l'aurait pas sous les yeux.

19. Quels sont les éléments de la définition de la farce que l'on retrouve dans ce tableau ?

Scène 6

BÉLINE, ANGÉLIQUE, TOINETTE,
ARGAN

415   ARGAN – Ah ! ma femme, approchez.

BÉLINE – Qu'avez-vous, mon pauvre mari ?

ARGAN – Venez-vous-en ici à mon secours.

BÉLINE – Qu'est-ce que c'est donc qu'il y a, mon petit fils ?

ARGAN – Mamie.

420   BÉLINE – Mon ami.

ARGAN – On vient de me mettre en colère !

BÉLINE – Hélas ! pauvre petit mari. Comment donc, mon ami ?

ARGAN – Votre coquine de Toinette est devenue plus inso-
425   lente que jamais.

BÉLINE – Ne vous passionnez donc point[1].

ARGAN – Elle m'a fait enrager, mamie.

BÉLINE – Doucement, mon fils.

ARGAN – Elle a contrecarré[2], une heure durant, les choses
430   que je veux faire.

BÉLINE – Là, là, tout doux.

ARGAN – Et a eu l'effronterie de me dire que je ne suis point malade.

BÉLINE – C'est une impertinente.

435   ARGAN – Vous savez, mon cœur, ce qui en est.

BÉLINE – Oui, mon cœur, elle a tort.

notes

1. *ne vous passionnez donc point :* ne vous énervez pas.

2. *elle a contrecarré :* elle a contredit en s'opposant.

ARGAN – M'amour, cette coquine-là me fera mourir.

BÉLINE – Eh là, eh là !

ARGAN – Elle est cause de toute la bile[1] que je fais.

440 BÉLINE – Ne vous fâchez point tant.

ARGAN – Et il y a je ne sais combien que je vous dis de me la chasser.

BÉLINE – Mon Dieu ! mon fils, il n'y a point de serviteurs et de servantes qui n'aient leurs défauts. On est contraint par-
445 fois de souffrir leurs mauvaises qualités à cause des bonnes. Celle-ci est adroite, soigneuse, diligente[2], et surtout fidèle, et vous savez qu'il faut maintenant de grandes précautions pour les gens que l'on prend. Holà ! Toinette.

TOINETTE – Madame.

450 BÉLINE – Pourquoi donc est-ce que vous mettez mon mari en colère ?

TOINETTE, *d'un ton doucereux*[3] – Moi, madame, hélas ! Je ne sais pas ce que vous voulez dire, et je ne songe qu'à com-plaire à monsieur en toutes choses.

455 ARGAN – Ah ! la traîtresse !

TOINETTE – Il nous a dit qu'il voulait donner sa fille en mariage au fils de monsieur Diafoirus ; je lui ai répondu que je trouvais le parti avantageux pour elle ; mais que je croyais qu'il ferait mieux de la mettre dans un couvent.

460 BÉLINE – Il n'y a pas grand mal à cela, et je trouve qu'elle a raison.

ARGAN – Ah ! m'amour, vous la croyez. C'est une scélérate : elle m'a dit cent insolences.

notes

1. la bile : liquide visqueux sécrété par le foie.   **2. diligente :** active, efficace.   **3. doucereux :** d'une douceur trompeuse.

BÉLINE – Hé bien ! je vous crois, mon ami. Là, remettez-
465 vous. Écoutez Toinette, si vous fâchez jamais mon mari, je
vous mettrai dehors. Çà, donnez-moi son manteau fourré
et des oreillers, que je l'accommode dans sa chaise. Vous
voilà je ne sais comment. Enfoncez bien votre bonnet
jusque sur vos oreilles : il n'y a rien qui enrhume tant que
470 de prendre l'air par les oreilles.

ARGAN – Ah ! mamie, que je vous suis obligé de tous les
soins que vous prenez de moi !

BÉLINE, *accommodant les oreillers qu'elle met autour d'Argan*
– Levez-vous, que je mette ceci sous vous. Mettons celui-
475 ci pour vous appuyer, et celui-là de l'autre côté. Mettons
celui-ci derrière votre dos, et cet autre-là pour soutenir
votre tête.

TOINETTE, *lui mettant rudement un oreiller sur la tête, et puis
fuyant* – Et celui-ci pour vous garder du serein[1].

480 ARGAN *se lève en colère, et jette tous les oreillers à Toinette* – Ah !
coquine, tu veux m'étouffer.

BÉLINE – Eh là, eh là ! Qu'est-ce que c'est donc ?

ARGAN, *tout essoufflé, se jette dans sa chaise* – Ah, ah, ah ! je n'en
puis plus.

485 BÉLINE – Pourquoi vous emporter ainsi ? Elle a cru faire
bien.

ARGAN – Vous ne connaissez pas, m'amour, la malice de la
pendarde. Ah ! elle m'a mis tout hors de moi ; et il faudra
plus de huit médecines, et douze lavements, pour réparer
490 tout ceci.

note

1. vous garder du serein :
vous protéger de l'air frais du
soir.

BÉLINE – Là, là, mon petit ami, apaisez-vous un peu.

ARGAN – Mamie, vous êtes toute ma consolation.

BÉLINE – Pauvre petit fils.

ARGAN – Pour tâcher de reconnaître l'amour que vous me
495 portez, je veux, mon cœur, comme je vous ai dit, faire mon
testament.

BÉLINE – Ah ! mon ami, ne parlons point de cela, je vous
prie : je ne saurais souffrir cette pensée ; et le seul mot de
testament me fait tressaillir de douleur.

500 ARGAN – Je vous avais dit de parler pour cela à votre notaire.

BÉLINE – Le voilà là-dedans[1], que j'ai amené avec moi.

ARGAN – Faites-le donc entrer, m'amour.

BÉLINE – Hélas ! mon ami, quand on aime bien un mari, on
n'est guère en état de songer à tout cela.

Scène 7 LE NOTAIRE, BÉLINE, ARGAN

505 ARGAN – Approchez, monsieur de Bonnefoy, approchez.
Prenez un siège, s'il vous plaît. Ma femme m'a dit, monsieur, que vous étiez fort honnête homme, et tout à fait de
ses amis ; et je l'ai chargée de vous parler pour un testament
que je veux faire.

510 BÉLINE – Hélas ! je ne suis point capable de parler de ces
choses-là.

note
_____
1. le voilà là-dedans : il est
dans la pièce à côté.

LE NOTAIRE – Elle m'a, monsieur, expliqué vos intentions, et le dessein où vous êtes pour elle ; et j'ai à vous dire là-dessus que vous ne sauriez rien donner à votre femme par
515 votre testament.

ARGAN – Mais pourquoi ?

LE NOTAIRE – La Coutume[1] y résiste. Si vous étiez en pays de droit écrit, cela se pourrait faire ; mais, à Paris, et dans les pays coutumiers[1], au moins dans la plupart, c'est ce qui ne
520 se peut, et la disposition serait nulle. Tout l'avantage qu'homme et femme conjoints par mariage se peuvent faire l'un à l'autre, c'est un don mutuel entre vifs[2] ; encore faut-il qu'il n'y ait enfants, soit des deux conjoints, ou de l'un d'eux, lors du décès du premier mourant.

525 **ARGAN** –Voilà une Coutume bien impertinente, qu'un mari ne puisse rien laisser à une femme dont il est aimé tendrement, et qui prend de lui tant de soin. J'aurais envie de consulter mon avocat, pour voir comment je pourrais faire.

LE NOTAIRE – Ce n'est point à des avocats qu'il faut aller, car
530 ils sont d'ordinaire sévères là-dessus, et s'imaginent que c'est un grand crime que de disposer en fraude de la loi. Ce sont gens de difficultés[3], et qui sont ignorants des détours de la conscience. Il y a d'autres personnes à consulter, qui sont bien plus accommodantes, qui ont des expé-
535 dients[4] pour passer doucement par-dessus la loi, et rendre juste ce qui n'est pas permis ; qui savent aplanir les difficultés d'une affaire, et trouver les moyens d'éluder[5] la

---

notes

1. la Coutume : terme juridique qui désigne le droit. Les pays coutumiers étaient, selon les cas, régis soit par des traditions orales, soit par le droit romain ou droit écrit.

2. entre vifs : entre personnes vivantes.

3. gens de difficultés : gens qui posent des problèmes.

4. expédients : moyens.

5. éluder : éviter.

Coutume par quelque avantage indirect. Sans cela, où en
serions-nous tous les jours ? Il faut de la facilité dans les
540   choses ; autrement nous ne ferions rien, et je ne donnerais
pas un sou de notre métier.

ARGAN – Ma femme m'avait bien dit, monsieur, que vous
étiez fort habile, et fort honnête homme. Comment puis-
je faire, s'il vous plaît, pour lui donner mon bien, et en frus-
545   trer[1] mes enfants ?

LE NOTAIRE – Comment vous pouvez faire ? Vous pouvez
choisir doucement un ami intime de votre femme, auquel
vous donnerez en bonne forme par votre testament tout ce
que vous pouvez, et cet ami ensuite lui rendra tout. Vous
550   pouvez encore contracter un grand nombre d'obligations[2],
non suspectes, au profit de divers créanciers[3], qui prêteront
leur nom à votre femme, et entre les mains de laquelle ils
mettront leur déclaration que ce qu'ils en ont fait n'a été
que pour lui faire plaisir. Vous pouvez aussi, pendant que
555   vous êtes en vie, mettre entre ses mains de l'argent comp-
tant, ou des billets que vous pourrez avoir, payables au porteur.

BÉLINE – Mon Dieu ! il ne faut point vous tourmenter de
tout cela. S'il vient faute de vous, mon fils, je ne veux plus
560   rester au monde.

ARGAN – Mamie !

BÉLINE – Oui, mon ami, si je suis assez malheureuse pour
vous perdre…

ARGAN – Ma chère femme !

---

notes

1. frustrer : priver.

2. obligations : dettes
contractées juridiquement.

3. créanciers : personnes à
qui l'on doit de l'argent.

565 BÉLINE – La vie ne me sera plus de rien.

ARGAN – M'amour !

BÉLINE – Et je suivrai vos pas, pour vous faire connaître la tendresse que j'ai pour vous.

ARGAN – Mamie, vous me fendez le cœur. Consolez-vous, 570 je vous en prie.

LE NOTAIRE – Ces larmes sont hors de saison[1], et les choses n'en sont point encore là.

BÉLINE – Ah ! monsieur, vous ne savez pas ce que c'est qu'un mari qu'on aime tendrement.

575 ARGAN – Tout le regret que j'aurai, si je meurs, mamie, c'est de n'avoir point un enfant de vous. Monsieur Purgon m'avait dit qu'il m'en ferait faire un.

LE NOTAIRE – Cela pourra venir encore.

ARGAN – Il faut faire mon testament, m'amour, de la façon 580 que monsieur dit ; mais, par précaution, je veux vous mettre entre les mains vingt mille francs en or, que j'ai dans le lambris[2] de mon alcôve[3], et deux billets payables au porteur, qui me sont dus, l'un par monsieur Damon, et l'autre par monsieur Géronte.

585 BÉLINE – Non, non, je ne veux point de tout cela. Ah ! combien dites-vous qu'il y a dans votre alcôve ?

ARGAN – Vingt mille francs, m'amour.

BÉLINE – Ne me parlez point de bien, je vous prie. Ah ! de combien sont les deux billets ?

590 ARGAN – Ils sont, mamie, l'un de quatre mille francs, et l'autre de six.

---

notes

1. hors de saison : injustifiées. **2. lambris :** revêtement sur les murs ou les plafonds. **3. alcôve :** renfoncement où se trouve le lit.

BÉLINE – Tous les biens du monde, mon ami, ne me sont rien au prix de vous.

LE NOTAIRE – Voulez-vous que nous procédions au testament ?

595

ARGAN – Oui, monsieur ; mais nous serons mieux dans mon petit cabinet[1]. M'amour, conduisez-moi, je vous prie.

BÉLINE – Allons, mon pauvre petit fils.

Argan, gravure de L. Wolff d'après Geffroy.

1. cabinet : petite pièce située à l'écart.

Au fil du texte

QUE S'EST-IL PASSÉ ENTRE-TEMPS ?

1. Quel personnage apparaît pour la première fois à la scène 6 ?

2. Parmi les mots suivants, choisissez les deux adjectifs qui correspondent à l'attitude de ce personnage à l'égard d'Argan :

sincère ; maternelle ; triste ; hypocrite ; désespérée ; indifférente.

3. Relevez dans la scène 6 des éléments qui justifient vos choix.

vocabulaire juridique : qui a rapport à la justice, au droit.

AVEZ-VOUS BIEN LU ?

4. Pourquoi Argan a-t-il fait venir un notaire ?

5. Quelles sont les trois solutions que propose ce notaire à Argan ?

6. Ce notaire, M. Bonnefoy, porte-t-il bien son nom ? Pourquoi ?

7. Quels éléments confirment ici l'hypocrisie et la cupidité de Béline ?

ÉTUDIER LE VOCABULAIRE

8. Citez tous les mots de la scène qui relèvent du vocabulaire juridique*.

9. Recopiez leurs définitions à l'aide des notes de bas de page et d'un dictionnaire.

10. Quelle image ce langage donne-t-il de M. Bonnefoy ?

MISE EN SCÈNE

11. À la manière d'un metteur en scène, imaginez les jeux de scène de Béline et du notaire (autour d'Argan assis dans son fauteuil au milieu de la scène) afin de bien mettre en relief leur complicité.

ÉTUDIER LA PLACE DE L'EXTRAIT DANS L'ŒUVRE

12. Argan a déjà décidé d'imposer à sa fille un mari (scène 5). Quelle nouvelle difficulté lui prépare-t-il ici ?

À VOS PLUMES !

13. Écrivez le portrait d'Argan en utilisant les traits de caractère que vous avez découverts au cours de cette scène. Ils viendront compléter ceux apparus dans les scènes antérieures.

LIRE L'IMAGE

14. Décrivez Argan tel que vous le découvrez sur le document de la page 49 : tenue vestimentaire, attitude.

15. Mettez en relation cette description avec votre réponse à la question 13.

16. Quelle autre tenue vestimentaire pourrait-il porter selon vous aujourd'hui ?

Scène 8 ANGÉLIQUE, TOINETTE

TOINETTE – Les voilà avec un notaire, et j'ai ouï[1] parler de
600 testament. Votre belle-mère ne s'endort point[2], et c'est sans
doute quelque conspiration contre vos intérêts où elle
pousse votre père.

ANGÉLIQUE – Qu'il dispose de son bien à sa fantaisie[3],
pourvu qu'il ne dispose point de mon cœur. Tu vois,
605 Toinette, les desseins violents que l'on fait sur lui. Ne
m'abandonne point, je te prie, dans l'extrémité où je suis.

TOINETTE – Moi, vous abandonner ? j'aimerais mieux mourir. Votre belle-mère a beau me faire sa confidente, et me
vouloir jeter dans ses intérêts, je n'ai jamais pu avoir d'in-
610 clination pour elle, et j'ai toujours été de votre parti.
Laissez-moi faire : j'emploierai toute chose pour vous servir ; mais pour vous servir avec plus d'effet, je veux changer de batterie[4], couvrir le zèle[5] que j'ai pour vous, et
feindre d'entrer dans les sentiments de votre père et de
615 votre belle-mère.

ANGÉLIQUE – Tâche, je t'en conjure, de faire donner avis[6] à
Cléante du mariage qu'on a conclu.

TOINETTE – Je n'ai personne à employer à cet office, que le
vieux usurier[7] Polichinelle, mon amant, et il m'en coûtera
620 pour cela quelques paroles de douceur, que je veux bien
dépenser pour vous. Pour aujourd'hui, il est trop tard ; mais

---

notes

1. *ouï :* entendu.
2. *ne s'endort point :* ne reste pas inactive.
3. *à sa fantaisie :* à sa guise.
4. *changer de batterie :* agir différemment.
5. *couvrir :* dissimuler.
6. *faire donner avis :* prévenir.
7. *usurier :* personne qui prête de l'argent en prenant des intérêts très élevés.

demain, de grand matin, je l'enverrai quérir[1], et il sera ravi de…

BÉLINE – Toinette.

625 TOINETTE – Voilà qu'on m'appelle. Bonsoir. Reposez-vous sur moi.

Le théâtre change et représente une ville.

TOINETTE.

Je ne veux pas qu'elle épouse votre Thomas Diafoirus.

Le Malade Imaginaire. Acte I.er Sc 5.

Gravure d'après un dessin de Moreau-le-Jeune.

<u>note</u>

1. quérir : chercher.

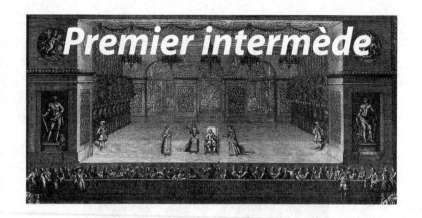

Premier intermède

Polichinelle, dans la nuit, vient pour donner une sérénade[1] à sa maîtresse. Il est interrompu d'abord par des violons, contre lesquels il se met en colère, et ensuite par le Guet[2], composé de musiciens et de danseurs.

5 POLICHINELLE – *Ô amour, amour, amour, amour ! Pauvre Polichinelle, quelle diable de fantaisie t'es-tu allé mettre dans la cervelle ? À quoi t'amuses-tu, misérable insensé que tu es ? Tu quittes le soin de ton négoce[3], et tu laisses aller tes affaires à l'abandon. Tu ne manges plus, tu ne bois presque plus, tu*
10 *perds le repos de la nuit ; et tout cela pour qui ? Pour une dragonne, franche dragonne[4], une diablesse qui te rembarre, et se moque de tout ce que tu peux lui dire. Mais il n'y a point à raisonner là-dessus. Tu le veux, amour : il faut être fou comme*

notes

1. sérénade : concert donné la nuit sous les fenêtres de la femme aimée.

2. guet : troupe qui assure la surveillance nocturne des villes.

3. négoce : commerce, activité.

4. dragonne : méchante femme.

15   *beaucoup d'autres. Cela n'est pas le mieux du monde à un homme de mon âge ; mais qu'y faire ? On n'est pas sage quand on veut, et les vieilles cervelles se démontent comme les jeunes.*

Je viens voir si je ne pourrai point adoucir ma tigresse par une séré- nade. Il n'y a rien parfois qui soit si touchant qu'un amant qui vient chanter ses doléances[1] aux gonds et aux verrous de la porte

20   *de sa maîtresse. Voici de quoi accompagner ma voix. Ô nuit ! ô chère nuit ! porte mes plaintes amoureuses jusque dans le lit de mon inflexible[2].*

(Il chante ces paroles.)

	Texte	Traduction
	Notte e dì v'amo e v'adoro,	Nuit et jour, je vous aime [et vous adore,
25	*Cerco un sì per mio ristoro ;*	Je cherche un oui pour [mon réconfort ;
	Ma se voi dite di no,	Mais si vous dites non,
	Bell' ingrata, io morirò.	Belle ingrate, je mourrai.
	Fra la speranza	À travers l'espérance
	S'affligge il cuore,	S'afflige[3] le cœur,
30	*In lontananza*	Car dans l'absence
	Consuma l'hore ;	Il consume les heures ;
	Si dolce inganno	La si douce illusion
	Che mi figura	Qui me représente
	Breve l'affanno	La fin proche de mon [tourment

notes

1. doléances : plaintes, réclamations.

2. inflexible : qui ne cède pas, intransigeant.

3. s'afflige : se faire de la peine.

35 *Ahi ! troppo dura !*	Hélas ! dure trop.
Cosi per tropp'amar lan-	Aussi, pour trop aimer, je
[guisco e muoro.	[languis[1] et je meurs.
Notte e dì v'amo e v'adoro,	Nuit et jour, je vous aime
	[et vous adore,
Cerco un sì per mio ristoro ;	Je cherche un oui pour
	[mon réconfort ;
Ma se voi dite di no,	Mais si vous dites non,
40 *Bell'ingrata, io morirò.*	Belle ingrate, je mourrai.
Se non dormite,	Si vous ne dormez pas,
Almen pensate	Pensez au moins
Alle ferite	Aux blessures
Ch'al cuor mi fate ;	Qu'au cœur vous me
	[faites ;
45 *Deh ! almen fingete,*	Ah ! feignez[2] au moins,
Per mio conforto,	Pour mon réconfort,
Se m'uccidete,	Si vous me tuez,
D'haver il torto :	D'en avoir remords :
Vostra pietà mi scemerà	Votre pitié me diminuera
[il martoro.	[mon martyre.
50 *Notte e dì v'amo v'adoro,*	Nuit et jour, je vous aime
	[et vous adore,
Cerco un sì per mio ristoro ;	Je cherche un oui pour
	[mon réconfort ;
Ma se voi dite di no,	Mais si vous dites non,
Bell'ingrata, io morirò.	Belle ingrate, je mourrai.

notes

1. *je languis :* je souffre.   2. *feignez (du verbe feindre) :* faites semblant.

Une vieille se présente à la fenêtre, et répond au signor
55 Polichinelle en se moquant de lui.

Zerbinetti, ch' ogn' hor con
       [finti sguardi,

Mentiti desiri,
Fallaci sospiri,
Accenti bugiardi,
60 *Di fede vi pregiate,*
Ah ! che non m'ingannate,

Che già so per prova,

Ch'in voi non si trova
Constanza ne fede :
65 *Oh ! quanto è pazza colei*
       [che vi crede !

Quei sguardi languidi
Non m'innamorano,
Quei sospir fervidi
Più non m'infiammano,
70 *Vel giuro a fè.*
Zerbino misero,
Del vostro piangere
Il mio cor libero

Freluquets[1] qui à toute
[heure avec des regards
[trompeurs,

Désirs menteurs,
Soupirs fallacieux[2],
Accents perfides[3],
Vous vantez de votre foi[4],
  Ah ! que vous ne m'abu-
[sez pas,

Car déjà je sais par expé-
[rience,

Qu'en vous on ne trouve
Constance[5] ni foi :
Oh ! comme elle est folle
  [celle qui vous croit !

Les regards languissants
Ne me troublent plus,
Ces soupirs brûlants
Ne m'enflamment plus,
Je vous le jure sur ma foi.
Malheureux galant,
De toutes vos plaintes
Mon cœur libéré

---

notes

1. freluquet : jeune homme
frivole et prétentieux.
2. fallacieux : faux, trompeurs.

3. perfides : traîtres.
4. vous vanter de votre foi :
vous affirmer par serment.

5. constance : fidélité.

Vuol sempre ridere,	Veut toujours se rire,
75 *Credet' a me :*	Croyez-moi :
Che già so per prova	Déjà je sais par expérience
Ch'in voi non si trova	Qu'en vous on ne trouve
Constanza ne fede :	Contance ni foi :
Oh ! quanto è pazza colei	Oh ! comme elle est folle
[che vi crede !	[celle qui vous croit !

80   (Violons.)

POLICHINELLE – *Quelle impertinente harmonie vient interrompre ici ma voix ?*
(Violons.)

POLICHINELLE – *Paix là, taisez-vous, violons. Laissez-moi me*
85   *plaindre à mon aise des cruautés de mon inexorable*[1].
(Violons.)

POLICHINELLE – *Taisez-vous, vous dis-je. C'est moi qui veux chanter.*
(Violons.)

90   **POLICHINELLE** – *Paix donc !*
(Violons.)

POLICHINELLE – *Ouais !*
(Violons.)

POLICHINELLE – *Ahi !*
95   (Violons.)

POLICHINELLE – *Est-ce pour rire ?*
(Violons.)

note

1. mon inexorable : mon inflexible.

POLICHINELLE – *Ah ! que de bruit !*
(Violons.)

100 **POLICHINELLE** – *Le diable vous emporte !*
(Violons.)

POLICHINELLE – *J'enrage.*
(Violons.)

POLICHINELLE – *Vous ne vous tairez pas ? Ah, Dieu soit loué !*
105 (Violons.)

POLICHINELLE – *Encore ?*
(Violons.)

POLICHINELLE – *Peste des violons !*
(Violons.)

110 **POLICHINELLE** – La sotte musique que voilà !
(Violons.)

POLICHINELLE, chantant pour se moquer des violons – *La, la, la, la, la, la.*
(Violons.)

115 **POLICHINELLE** – *La, la, la, la, la, la.*
(Violons.)

POLICHINELLE – *La, la, la, la, la, la, la, la.*
(Violons.)

POLICHINELLE – *La, la, la, la, la.*
120 (Violons.)

POLICHINELLE – *La, la, la, la, la, la.*
(Violons.)

POLICHINELLE, avec un luth[1], dont il ne joue que des lèvres et de la langue, en disant : *plin, tan, plan,* etc. – *Par ma foi !*

note

1. luth : instrument de musique à cordes.

125 *cela me divertit. Poursuivez, messieurs les Violons, vous me ferez plaisir. Allons donc, continuez. Je vous en prie. Voilà le moyen de les faire taire. La musique est accoutumée à ne point faire ce qu'on veut. Oh ! sus, à nous ! Avant que de chanter, il faut que je pré-lude*[1] *un peu et joue quelque pièce, afin de mieux prendre mon*
130 *ton. Plan, plan, plan. Plin, plin, plin. Voilà un temps fâcheux pour mettre un luth d'accord. Plin, plin, plin. Plin tan plan. Plin, plin. Les cordes ne tiennent point par ce temps-là. Plin, plan. J'entends du bruit. Mettons mon luth contre la porte.*

ARCHERS, passant dans la rue, accourent au bruit qu'ils
135 entendent et demandent en chantant. – *Qui va là, qui va là ?*

POLICHINELLE, tout bas – *Qui diable est cela ? Est-ce que c'est la mode de parler en musique ?*

ARCHERS – *Qui va là, qui va là, qui va là ?*

POLICHINELLE, épouvanté – *Moi, moi, moi.*

140 ARCHERS – *Qui va là, qui va là ? vous dis-je.*

POLICHINELLE – *Moi, moi, vous dis-je.*

ARCHERS – *Et qui toi ? et qui toi ?*

POLICHINELLE – *Moi, moi, moi, moi, moi, moi.*

ARCHERS – *Dis ton nom, dis ton nom, sans davantage attendre.*

145 POLICHINELLE, feignant d'être bien hardi – *Mon nom est : « Va te faire pendre. »*

ARCHERS – *Ici, camarades, ici.*
Saisissons l'insolent qui nous répond ainsi.

---

note

1. que je prélude : que je chante, que je joue quelques notes pour me mettre dans le ton.

Entrée de ballet

Tout le Guet vient, qui cherche Polichinelle dans la nuit.

150   (Violons et danseurs.)

POLICHINELLE — *Qui va là ?*
(Violons et danseurs.)

POLICHINELLE — *Qui sont les coquins que j'entends ?*
(Violons et danseurs.)

155   POLICHINELLE — *Euh !*
(Violons et danseurs.)

POLICHINELLE — *Holà, mes laquais, mes gens !*
(Violons et danseurs.)

POLICHINELLE — *Par la mort !*
160   (Violons et danseurs.)

POLICHINELLE — *Par le sang !*
(Violons et danseurs.)

POLICHINELLE — *J'en jetterai par terre.*
(Violons et danseurs.)

165   POLICHINELLE — *Champagne, Poitevin, Picard, Basque, Breton*[1] *!*
(Violons et danseurs.)

POLICHINELLE — *Donnez-moi mon mousqueton*[2].
(Violons et danseurs.)

POLICHINELLE fait semblant de tirer un coup de pistolet
170   — *Pouh !*
(Ils tombent tous et s'enfuient.)

---

notes

1. **Champagne, Poitevin, Picard, Basque, Breton :** laquais désignés par le nom de leur province d'origine.

2. **mousqueton :** fusil à canon court.

POLICHINELLE, en se moquant – *Ah, ah, ah, ah, comme je leur ai donné l'épouvante ! Voilà de sottes gens d'avoir peur de moi, qui ai peur des autres. Ma foi ! il n'est que de jouer d'adresse en*
175 *ce monde. Si je n'avais tranché du[1] grand seigneur, et n'avais fait le brave, ils n'auraient pas manqué de me happer[2] ! Ah, ah, ah.*
(Les archers se rapprochent, et, ayant entendu ce qu'il disait, ils le saisissent au collet[3].)

ARCHERS – *Nous le tenons. À nous, camarades, à nous :*
180 *Dépêchez, de la lumière.*

Ballet

Tout le Guet vient avec des lanternes.

ARCHERS – *Ah, traître ! ah, fripon ! c'est donc vous ?*
Faquin, maraud, pendard, impudent, téméraire,
Insolent, effronté, coquin, filou, voleur,
185 *Vous osez nous faire peur ?*

POLICHINELLE – *Messieurs, c'est que j'étais ivre.*

ARCHERS – *Non, non, non, point de raison ;*
Il faut vous apprendre à vivre.
En prison, vite, en prison.

190 **POLICHINELLE** – *Messieurs, je ne suis point voleur.*

ARCHERS – *En prison.*

POLICHINELLE – *Je suis un bourgeois de la ville.*

notes

1. trancher de : se donner l'apparence de.

2. me happer : arrêter, attraper brusquement.

3. collet : le col.

ARCHERS – *En prison.*

POLICHINELLE – *Qu'ai-je fait ?*

195 ARCHERS – *En prison, vite, en prison.*

POLICHINELLE – *Messieurs, laissez-moi aller.*

ARCHERS – *Non.*

POLICHINELLE – *Je vous en prie.*

ARCHERS – *Non.*

200 POLICHINELLE – *Eh !*

ARCHERS – *Non.*

POLICHINELLE – *De grâce.*

ARCHERS – *Non, non.*

POLICHINELLE – *Messieurs.*

205 ARCHERS – *Non, non, non.*

POLICHINELLE – *S'il vous plaît.*

ARCHERS – *Non, non.*

POLICHINELLE – *Par charité.*

ARCHERS – *Non, non.*

210 POLICHINELLE – *Au nom du Ciel !*

ARCHERS – *Non, non.*

POLICHINELLE – *Miséricorde !*

ARCHERS – *Non, non, non, point de raison ;*
Il faut vous apprendre à vivre.

215 *En prison, vite, en prison.*

POLICHINELLE – *Eh ! n'est-il rien, messieurs, qui soit capable d'at-*
tendrir vos âmes ?

ARCHERS – *Il est aisé de nous toucher,*
Et nous sommes humains plus qu'on ne saurait croire ;

220 *Donnez-nous doucement six pistoles[1] pour boire,*
Nous allons vous lâcher.

POLICHINELLE — *Hélas ! messieurs, je vous assure que je n'ai pas*
un sou sur moi.

ARCHERS — *Au défaut de six pistoles,*
225 *Choisissez donc sans façon*
D'avoir trente croquignoles[2],
Ou douze coups de bâton.

POLICHINELLE — *Si c'est une nécessité, et qu'il faille en passer par*
là, je choisis les croquignoles.

230 ARCHERS — *Allons, préparez-vous,*
Et comptez bien les coups.

Ballet

Les Archers danseurs lui donnent des croquignoles en
cadence.

POLICHINELLE — *Un et deux, trois et quatre, cinq et six, sept et*
235 *huit, neuf et dix, onze et douze, et treize, et quatorze, et quinze.*

ARCHERS — *Ah, ah, vous en voulez passer :*
Allons, c'est à recommencer.

POLICHINELLE — *Ah ! messieurs, ma pauvre tête n'en peut plus, et*
vous venez de me la rendre comme une pomme cuite. J'aime encore
240 *mieux les coups de bâton que de recommencer.*

notes

1. pistole : monnaie italienne
ou espagnole.

2. croquignoles : coups sur la
tête.

ARCHERS – *Soit ! puisque le bâton est pour vous plus charmant,*
vous aurez contentement.

Ballet

Les Archers danseurs lui donnent des coups de bâton en
cadence.

245 POLICHINELLE – *Un, deux, trois, quatre, cinq, six, ah, ah, ah, je n'y*
saurais plus résister. Tenez, messieurs, voilà six pistoles que je vous
donne.

ARCHERS – *Ah, l'honnête homme ! Ah ! l'âme noble et belle !*
Adieu, seigneur, adieu, seigneur Polichinelle.

250 POLICHINELLE – *Messieurs, je vous donne le bonsoir.*

ARCHERS – *Adieu, seigneur, adieu, seigneur Polichinelle.*

POLICHINELLE – *Votre serviteur.*

ARCHERS – *Adieu, seigneur, adieu, seigneur Polichinelle.*

POLICHINELLE – *Très humble[1] valet.*

255 ARCHERS – *Adieu, seigneur, adieu, seigneur Polichinelle.*

POLICHINELLE – *Jusqu'au revoir.*

Ballet

Ils dansent tous, en réjouissance de l'argent qu'ils ont reçu.
(Le théâtre change et représente la même chambre.)

---

note

1. humble : effacé, modeste,
très respectueux.

Au fil du texte

QUE S'EST-IL PASSÉ ENTRE-TEMPS ?

1. Citez la réplique qui fait allusion à Polichinelle dans la scène 8.

2. Qui est Polichinelle et quels sont ses liens avec Toinette ?

AVEZ-VOUS BIEN LU ?

3. Qui est le personnage principal dans cet intermède ?

4. Que fait-il ?

5. Dans quel but ?

6. Qui l'interrompt ?

7. Comment se libère-t-il des archers ?

ÉTUDIER LE VOCABULAIRE

8. Dans la première partie de cet intermède (du début à la ligne 79), relevez les champs lexicaux★ de l'amour et de la souffrance.

9. Par quels mots Polichinelle désigne-t-il celle qu'il aime ?

10. Qu'en déduisez-vous ?

ÉTUDIER LE COMIQUE

11. Retrouvez dans la deuxième partie (ligne 80 à la fin) les éléments comiques relevant de la farce★.

---

champ lexical : ensemble des termes qui renvoient à un même sujet.

farce : pièce comique populaire qui utilise pour faire rire des procédés tels que les déguisements, les coups de fouet, les écarts de langage, les pirouettes, bouffonneries et scènes extravagantes.

intrigue : action de la pièce qui se met en place à partir des relations entre les personnages.

ÉTUDIER LA PLACE ET LA FONCTION DE L'EXTRAIT DANS L'ŒUVRE

12. Quels sont les liens que vous pouvez établir entre cet intermède et l'intrigue* de la pièce ?

LIRE L'IMAGE

13. Décrivez le personnage de la photo ci-dessous.

14. Mettez son attitude en relation avec le comportement de Polichinelle au cours de l'intermède.

15. À quel moment de la scène cette photographie correspond-elle le mieux ?

Comédien : A. Tretout (1990).

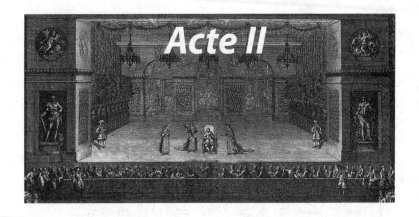

Scène 1

Toinette – Que demandez-vous, monsieur ?

Cléante – Ce que je demande ?

Toinette – Ah, ah, c'est vous ? Quelle surprise ? Que venez-vous faire céans[1] ?

5 **Cléante** – Savoir ma destinée, parler à l'aimable Angélique, consulter les sentiments de son cœur, et lui demander ses résolutions sur ce mariage fatal[2] dont on m'a averti.

Toinette – Oui, mais on ne parle pas comme cela de but
10 en blanc[3] à Angélique : il y faut des mystères[4], et l'on vous a dit l'étroite garde où elle est retenue, qu'on ne la laisse ni sortir, ni parler à personne, et que ce ne fut que

notes

1. *céans :* ici.
2. *fatal :* funeste, mortel.
3. *de but en blanc :* brusquement.
4. *des mystères :* de la discrétion.

la curiosité d'une vieille tante qui nous fit accorder la
liberté d'aller à cette comédie qui donna lieu à la naissance
₁₅ de votre passion ; et nous nous sommes bien gardées de
parler de cette aventure.

CLÉANTE – Aussi ne viens-je pas ici comme Cléante et sous
l'apparence de son amant, mais comme ami de son maître
de musique, dont j'ai obtenu le pouvoir de dire qu'il m'en-
₂₀ voie à sa place.

TOINETTE – Voici son père. Retirez-vous un peu, et me laissez lui dire que vous êtes là.

Scène 2   ARGAN, TOINETTE, CLÉANTE

ARGAN – Monsieur Purgon m'a dit de me promener le
matin dans ma chambre, douze allées, et douze venues ;
₂₅ mais j'ai oublié à lui demander si c'est en long, ou en large.

TOINETTE – Monsieur, voilà un…

ARGAN – Parle bas, pendarde : tu viens m'ébranler tout le
cerveau, et tu ne songes pas qu'il ne faut point parler si
haut à des malades.

₃₀ TOINETTE – Je voulais vous dire, monsieur…

ARGAN – Parle bas, te dis-je.
(Elle fait semblant de parler.)

ARGAN – Eh ?

TOINETTE – Je vous dis que…
₃₅ *(Elle fait semblant de parler.)*

ARGAN – Qu'est-ce que tu dis ?

TOINETTE, *haut* – Je dis que voilà un homme qui veut parler
à vous.

ARGAN – Qu'il vienne.

40 *(Toinette fait signe à Cléante d'avancer.)*

CLÉANTE – Monsieur…

TOINETTE, *raillant* – Ne parlez pas si haut, de peur d'ébranler le cerveau de monsieur.

CLÉANTE – Monsieur, je suis ravi de vous trouver debout et
45 de voir que vous vous portez mieux.

TOINETTE, *feignant d'être en colère* – Comment « qu'il se porte
mieux » ? Cela est faux : monsieur se porte toujours mal.

CLÉANTE – J'ai ouï dire que monsieur était mieux, et je lui
trouve bon visage.

50 **TOINETTE** – Que voulez-vous dire avec votre bon visage ?
Monsieur l'a fort mauvais, et ce sont des impertinents[1] qui
vous ont dit qu'il était mieux. Il ne s'est jamais si mal porté.

ARGAN – Elle a raison.

TOINETTE – Il marche, dort, mange, et boit tout comme les
55 autres ; mais cela n'empêche pas qu'il ne soit fort malade.

ARGAN – Cela est vrai.

CLÉANTE – Monsieur, j'en suis au désespoir. Je viens de la
part du maître à chanter de mademoiselle votre fille. Il s'est
vu obligé d'aller à la campagne pour quelques jours ; et
60 comme son ami intime, il m'envoie à sa place, pour lui
continuer ses leçons, de peur qu'en les interrompant elle
ne vînt à oublier ce qu'elle sait déjà.

ARGAN – Fort bien. Appelez Angélique.

TOINETTE – Je crois, monsieur, qu'il sera mieux de mener
65 monsieur à sa chambre.

note

1. impertinents : qui agissent
contre le bon sens.

ARGAN – Non ; faites-la venir.

TOINETTE – Il ne pourra lui donner leçon comme il faut, s'ils ne sont en particulier[1].

ARGAN – Si fait, si fait.

70 **TOINETTE** – Monsieur, cela ne fera que vous étourdir, et il ne faut rien pour vous émouvoir en l'état où vous êtes, et vous ébranler le cerveau.

ARGAN – Point, point : j'aime la musique, et je serai bien aise de… Ah ! la voici. Allez-vous-en voir, vous, si ma femme

75 est habillée.

Scène 3   ARGAN, ANGÉLIQUE, CLÉANTE

ARGAN – Venez, ma fille : votre maître de musique est allé aux champs, et voilà une personne qu'il envoie à sa place pour vous montrer[2].

ANGÉLIQUE – Ah, ciel !

80 **ARGAN** – Qu'est-ce ? d'où vient cette surprise ?

ANGÉLIQUE – C'est…

ARGAN – Quoi ? qui vous émeut de la sorte ?

ANGÉLIQUE – C'est, mon père, une aventure surprenante qui se rencontre ici.

85 **ARGAN** – Comment ?

ANGÉLIQUE – J'ai songé cette nuit que j'étais dans le plus grand embarras du monde, et qu'une personne faite tout

notes

1. *être en particulier :* être seul.

2. *pour vous montrer :* pour vous donner votre leçon.

comme monsieur s'est présentée à moi, à qui j'ai demandé secours, et qui m'est venue tirer de la peine où j'étais ; et
90 ma surprise a été grande de voir inopinément[1], en arrivant ici, ce que j'ai eu dans l'idée toute la nuit.

CLÉANTE – Ce n'est pas être malheureux que d'occuper votre pensée, soit en dormant, soit en veillant, et mon bonheur serait grand sans doute si vous étiez dans quelque
95 peine dont vous me jugeassiez digne de vous tirer ; et il n'y a rien que je ne fisse pour…

Scène 4

TOINETTE, CLÉANTE, ANGÉLIQUE, ARGAN

TOINETTE, *par dérision*[2] – Ma foi, monsieur, je suis pour vous maintenant, et je me dédis de tout ce que je disais hier. Voici monsieur Diafoirus le père, et monsieur Diafoirus le
100 fils, qui viennent vous rendre visite. Que vous serez bien engendré[3] ! Vous allez voir le garçon le mieux fait du monde, et le plus spirituel[4]. Il n'a dit que deux mots, qui m'ont ravie, et votre fille va être charmée de lui.

ARGAN, *à Cléante, qui feint de vouloir s'en aller* – Ne vous en
105 allez point, monsieur. C'est que je marie ma fille ; et voilà qu'on lui amène son prétendu mari, qu'elle n'a point encore vu.

notes

1. inopinément : de manière imprévue.

2. par dérision : en se moquant.

3. vous serez bien engendré : vous aurez un bon gendre.

4. spirituel : qui est plein d'esprit.

CLÉANTE – C'est m'honorer beaucoup, monsieur, de vouloir que je sois témoin d'une entrevue si agréable.

110 ARGAN – C'est le fils d'un habile médecin, et le mariage se fera dans quatre jours.

CLÉANTE – Fort bien.

ARGAN – Mandez-le[1] un peu à son maître de musique, afin qu'il se trouve à la noce.

115 CLÉANTE – Je n'y manquerai pas.

ARGAN – Je vous y prie aussi.

CLÉANTE – Vous me faites beaucoup d'honneur.

ARGAN – Allons, qu'on se range, les voici.

Scène 5

MONSIEUR DIAFOIRUS,
THOMAS DIAFOIRUS, ARGAN,
ANGÉLIQUE, CLÉANTE, TOINETTE

ARGAN, *mettant la main à son bonnet sans l'ôter* – Monsieur
120 Purgon, monsieur, m'a défendu de découvrir ma tête. Vous êtes du métier, vous savez les conséquences.

MONSIEUR DIAFOIRUS – Nous sommes dans toutes nos visites pour porter secours aux malades, et non pour leur porter de l'incommodité[2].

125 ARGAN – Je reçois, monsieur…
(Ils parlent tous deux en même temps, s'interrompent et confondent.)

notes
1. mandez-le : faites-le savoir. **2. incommodité :** gêne.

MONSIEUR DIAFOIRUS – Nous venons ici, monsieur…

ARGAN – Avec beaucoup de joie…

130 MONSIEUR DIAFOIRUS – Mon fils Thomas, et moi…

ARGAN – L'honneur que vous me faites…

MONSIEUR DIAFOIRUS – Vous témoigner, monsieur…

ARGAN – Et j'aurais souhaité…

MONSIEUR DIAFOIRUS – Le ravissement où nous sommes…

135 ARGAN – De pouvoir aller chez vous…

MONSIEUR DIAFOIRUS – De la grâce que vous nous faites…

ARGAN – Pour vous en assurer…

MONSIEUR DIAFOIRUS – De vouloir bien nous recevoir…

ARGAN – Mais vous savez, monsieur…

140 MONSIEUR DIAFOIRUS – Dans l'honneur, monsieur…

ARGAN – Ce que c'est qu'un pauvre malade…

MONSIEUR DIAFOIRUS – De votre alliance…

ARGAN – Qui ne peut faire autre chose…

MONSIEUR DIAFOIRUS – Et vous assurer…

145 ARGAN – Que de vous dire ici…

MONSIEUR DIAFOIRUS – Que dans les choses qui dépendront de notre métier…

ARGAN – Qu'il cherchera toutes les occasions…

MONSIEUR DIAFOIRUS – De même qu'en toute autre…

150 ARGAN – De vous faire connaître, monsieur…

MONSIEUR DIAFOIRUS – Nous serons toujours prêts, monsieur…

ARGAN – Qu'il est tout à votre service…

Monsieur Diafoirus – À vous témoigner notre zèle[1]. *(Il se*
155 *retourne vers son fils et lui dit :)* Allons, Thomas, avancez.
Faites vos compliments.

Thomas Diafoirus *est un grand benêt, nouvellement sorti des*
écoles, qui fait toutes choses de mauvaise grâce et à contre temps
– N'est-ce pas par le père qu'il convient commencer ?

160 Monsieur Diafoirus – Oui.

Thomas Diafoirus – Monsieur, je viens saluer, reconnaître,
chérir, et révérer[2] en vous un second père ; mais un second
père auquel j'ose dire que je me trouve plus redevable
qu'au premier. Le premier m'a engendré ; mais vous
165 m'avez choisi. Il m'a reçu par nécessité ; mais vous m'avez
accepté par grâce[3]. Ce que je tiens de lui est un ouvrage
de son corps ; mais ce que je tiens de vous est un ouvrage
de votre volonté ; et d'autant plus que les facultés spiri-
tuelles sont au-dessus des corporelles, d'autant plus je vous
170 dois, et d'autant plus je tiens précieuse cette future filiation,
dont je viens aujourd'hui vous rendre par avance les très
humbles et très respectueux hommages.

Toinette – Vivent les collèges, d'où l'on sort si habile
homme !

175 Thomas Diafoirus – Cela a-t-il bien été, mon père ?

Monsieur Diafoirus – *Optime*[4].

Argan, *à Angélique* – Allons, saluez monsieur.

Thomas Diafoirus – Baiserai-je[5] ?

Monsieur Diafoirus – Oui, oui.

---

notes

1. *zèle :* dévouement.
2. *révérer :* honorer.
3. *par grâce :* par bonté.
4. *optime (latin) :* très bien.
5. *baiserai-je ? :* dois-je l'embrasser ?

180 THOMAS DIAFOIRUS, *à Angélique* – Madame, c'est avec justice que le Ciel vous a concédé le nom de belle-mère, puisque l'on…

ARGAN – Ce n'est pas ma femme, c'est ma fille à qui vous parlez.

185 THOMAS DIAFOIRUS – Où donc est-elle ?

ARGAN – Elle va venir.

THOMAS DIAFOIRUS – Attendrai-je, mon père, qu'elle soit venue ?

MONSIEUR DIAFOIRUS – Faites toujours le compliment de
190 mademoiselle.

THOMAS DIAFOIRUS – Mademoiselle, ne plus ne moins que la statue de Memnon[1] rendait un son harmonieux, lorsqu'elle venait à être éclairée des rayons du soleil : tout de même me sens-je animé d'un doux transport[2] à l'appari-
195 tion du soleil de vos beautés. Et comme les naturalistes remarquent que la fleur nommée héliotrope tourne sans cesse vers cet astre du jour, aussi mon cœur, dores-en-avant[3], tournera-t-il vers les astres resplendissants de vos yeux adorables, ainsi que vers son pôle unique. Souffrez
200 donc, mademoiselle, que j'appende[4] aujourd'hui à l'autel de vos charmes l'offrande de ce cœur, qui ne respire et n'ambitionne autre gloire, que d'être toute sa vie, mademoiselle, votre très humble, très obéissant, et très fidèle serviteur et mari.

205 TOINETTE, *en le raillant*[5] –Voilà ce que c'est que d'étudier, on apprend à dire de belles choses.

notes

1. **Memnon :** héros grec dont la statue faisait entendre au lever du soleil une vibration.

2. **doux transport :** douce émotion.

3. **dores-en-avant :** dorénavant.

4. **j'appende :** je suspende.

5. **en le raillant :** en se moquant de lui.

ARGAN – Eh! que dites-vous de cela ?

CLÉANTE – Que monsieur fait merveilles, et que s'il est aussi bon médecin qu'il est bon orateur, il y aura plaisir à être de
210 ses malades.

TOINETTE – Assurément. Ce sera quelque chose d'admirable s'il fait d'aussi belles cures[1] qu'il fait de beaux discours.

ARGAN – Allons vite ma chaise, et des sièges à tout le monde. Mettez-vous là, ma fille. Vous voyez, monsieur, que tout le
215 monde admire monsieur votre fils, et je vous trouve bien heureux de vous voir un garçon comme cela.

MONSIEUR DIAFOIRUS – Monsieur, ce n'est pas parce que je suis son père, mais je puis dire que j'ai sujet d'être content de lui, et que tous ceux qui le voient en parlent comme
220 d'un garçon qui n'a point de méchanceté. Il n'a jamais eu l'imagination bien vive, ni ce feu d'esprit qu'on remarque dans quelques-uns ; mais c'est par là que j'ai toujours bien auguré de sa judiciaire[2], qualité requise pour l'exercice de notre art. Lorsqu'il était petit, il n'a jamais été ce qu'on
225 appelle mièvre[3] et éveillé. On le voyait toujours doux, paisible, et taciturne[4], ne disant jamais mot, et ne jouant jamais à tous ces petits jeux que l'on nomme enfantins. On eut toutes les peines du monde à lui apprendre à lire, et il avait neuf ans, qu'il ne connaissait pas encore ses lettres. « Bon,
230 disais-je en moi-même, les arbres tardifs sont ceux qui portent les meilleurs fruits ; on grave sur le marbre bien plus malaisément[5] que sur le sable ; mais les choses y sont conservées bien plus longtemps, et cette lenteur à com-

---

notes

1. **cures :** soins, traitements.
2. **j'ai auguré de sa judiciaire :** j'ai pressenti ses capacités de jugement.
3. **mièvre :** malicieux.
4. **taciturne :** qui parle peu.
5. **malaisément :** difficilement.

235 prendre, cette pesanteur d'imagination, est la marque d'un bon jugement à venir. » Lorsque je l'envoyai au collège, il trouva de la peine ; mais il se raidissait[1] contre les difficultés, et ses régents[2] se louaient toujours à moi de son assiduité[3], et de son travail. Enfin, à force de battre le fer, il en est venu glorieusement à avoir ses licences[4] ; et je puis dire

240 sans vanité que depuis deux ans qu'il est sur les bancs, il n'y a point de candidat qui ait fait plus de bruit que lui dans toutes les disputes[5] de notre école. Il s'y est rendu redoutable, et il ne s'y passe point d'acte[5] où il n'aille argumenter à outrance[6] pour la proposition contraire. Il est ferme

245 dans la dispute, fort comme un Turc sur ses principes, ne démord jamais de son opinion, et poursuit un raisonnement jusque dans les derniers recoins de la logique. Mais sur toute chose ce qui me plaît en lui, et en quoi il suit mon exemple, c'est qu'il s'attache aveuglément aux opi-

250 nions de nos anciens, et que jamais il n'a voulu comprendre ni écouter les raisons et les expériences des prétendues découvertes de notre siècle, touchant la circulation du sang, et autres opinions de même farine[7].

THOMAS DIAFOIRUS, *tirant une grande thèse roulée de sa poche,*
255 *qu'il présente à Angélique* – J'ai contre les circulateurs[8] soutenu une thèse, qu'avec la permission de monsieur, j'ose présenter à mademoiselle, comme un hommage que je lui dois des prémices[9] de mon esprit.

---

notes

1. il se raidissait : il faisait des efforts.

2. ses régents : ses professeurs.

3. assiduité : régularité.

4. ses licences : ses diplômes universitaires.

5. disputes, actes : discussions.

6. à outrance : au maximum.

7. de même farine : sans intérêt.

8. circulateurs : ceux qui pensent que le sang circule dans les veines.

9. prémices : premières réalisations.

ANGÉLIQUE – Monsieur, c'est pour moi un meuble[1] inutile,
260   et je ne me connais pas à ces choses-là.

TOINETTE – Donnez, donnez, elle est toujours bonne à
prendre pour l'image ; cela servira à parer[2] notre chambre.

THOMAS DIAFOIRUS – Avec la permission aussi de monsieur,
je vous invite à venir voir l'un de ces jours, pour vous
265   divertir, la dissection d'une femme, sur quoi je dois raisonner.

TOINETTE – Le divertissement sera agréable. Il y en a qui
donnent la comédie à leurs maîtresses ; mais donner une
dissection est quelque chose de plus galant.

270   MONSIEUR DIAFOIRUS – Au reste, pour ce qui est des qualités requises pour le mariage et la propagation[3], je vous
assure que, selon les règles de nos docteurs, il est tel qu'on
le peut souhaiter, qu'il possède en un degré louable la vertu
prolifique[4] et qu'il est du tempérament qu'il faut pour
275   engendrer et procréer des enfants bien conditionnés.

ARGAN – N'est-ce pas votre intention, monsieur, de le pousser à la cour, et d'y ménager pour lui une charge de médecin ?

MONSIEUR DIAFOIRUS – À vous en parler franchement, notre
280   métier auprès des grands ne m'a jamais paru agréable, et j'ai
toujours trouvé qu'il valait mieux, pour nous autres,
demeurer au public[5]. Le public est commode. Vous n'avez
à répondre de vos actions à personne ; et pourvu que l'on
suive le courant des règles de l'art, on ne se met point en

notes

1. *meuble :* objet.
2. *parer :* décorer.
3. *propagation :* relatif à la naissance des enfants.
4. *la vertu prolifique :* la capacité d'engendrer.
5. *demeurer au public :* rester médecin du peuple.

285 peine de tout ce qui peut arriver. Mais ce qu'il y a de
fâcheux auprès des grands, c'est que, quand ils viennent à
être malades, ils veulent absolument que leurs médecins les
guérissent.

TOINETTE – Cela est plaisant, et ils sont bien impertinents de
290 vouloir que vous autres messieurs vous les guérissiez : vous
n'êtes point auprès d'eux pour cela ; vous n'y êtes que pour
recevoir vos pensions[1], et leur ordonner des remèdes ; c'est
à eux à guérir s'ils peuvent.

MONSIEUR DIAFOIRUS – Cela est vrai. On n'est obligé qu'à
295 traiter les gens dans les formes[2].

ARGAN, *à Cléante* – Monsieur, faites un peu chanter ma fille
devant la compagnie.

CLÉANTE – J'attendais vos ordres, monsieur, et il m'est venu
en pensée, pour divertir la compagnie, de chanter avec
300 mademoiselle une scène d'un petit opéra qu'on a fait
depuis peu. *(À Angélique, lui donnant un papier.)* Tenez, voilà
votre partie[3].

ANGÉLIQUE – Moi ?

CLÉANTE, *bas à Angélique* – Ne vous défendez point, s'il vous
305 plaît, et me laissez vous faire comprendre ce que c'est que
la scène que nous devons chanter. *(Haut.)* Je n'ai pas une
voix à chanter ; mais ici il suffit que je me fasse entendre,
et l'on aura la bonté de m'excuser par la nécessité où je me
trouve de faire chanter mademoiselle.

310 ARGAN – Les vers en sont-ils beaux ?

---

notes

1. vos pensions : rentes touchées par les médecins.

2. dans les formes : dans les règles de l'art.

3. partie : papier où est notée la composition musicale.

CLÉANTE – C'est proprement ici un petit opéra impromptu[1], et vous n'allez entendre chanter que de la prose cadencée, ou des manières de vers libres, tels que la passion et la nécessité peuvent faire trouver à deux personnes qui disent
315 les choses d'elles-mêmes, et parlent sur-le-champ.

ARGAN – Fort bien. Écoutons.

CLÉANTE, *sous le nom d'un berger, explique à sa maîtresse son amour depuis leur rencontre, et ensuite ils s'appliquent[2] leurs pensées l'un à l'autre en chantant* – Voici le sujet de la scène. Un
320 berger était attentif aux beautés d'un spectacle, qui ne faisait que de commencer, lorsqu'il fut tiré de son attention par un bruit qu'il entendit à ses côtés. Il se retourne, et voit un brutal, qui de paroles insolentes maltraitait une bergère. D'abord il prend les intérêts[3] d'un sexe à qui tous les hommes doi-
325 vent hommage ; et après avoir donné au brutal le châtiment de son insolence, il vient à la bergère, et voit une jeune personne qui, des deux plus beaux yeux qu'il eût jamais vus, versait des larmes, qu'il trouva les plus belles du monde. « Hélas ! dit-il en lui-même, est-on capable d'outrager[4] une
330 personne si aimable ? Et quel humain, quel barbare, ne serait touché par de telles larmes ? » Il prend soin de les arrêter, ces larmes, qu'il trouve si belles ; et l'aimable bergère prend soin en même temps de le remercier de son léger service, mais d'une manière si charmante, si tendre, et si passionnée, que
335 le berger n'y peut résister ; et chaque mot, chaque regard, est un trait plein de flamme, dont son cœur se sent pénétré. « Est-il, disait-il, quelque chose qui puisse mériter les aimables paroles d'un tel remerciement ? Et que ne vou-

---

notes

1. impromptu : improvisé.
2. ils s'appliquent : ils se disent.

3. il prend les intérêts : il prend parti pour.

4. outrager : offenser.

drait-on pas faire, à quels services, à quels dangers, ne serait-
340 on pas ravi de courir, pour s'attirer un seul moment des tou-
chantes douceurs d'une âme si reconnaissante ? » Tout le
spectacle passe sans qu'il y donne aucune attention ; mais il
se plaint qu'il est trop court, parce qu'en finissant il le sépare
de son adorable bergère ; et de cette première vue, de ce pre-
345 mier moment, il emporte chez lui tout ce qu'un amour de
plusieurs années peut avoir de plus violent. Le voilà aussitôt
à sentir tous les maux de l'absence, et il est tourmenté de ne
plus voir ce qu'il a si peu vu. Il fait tout ce qu'il peut pour
se redonner cette vue[1], dont il conserve, nuit et jour, une si
350 chère idée ; mais la grande contrainte[2] où l'on tient sa bergère lui en ôte tous les moyens. La violence de sa passion le
fait résoudre à demander en mariage l'adorable beauté sans
laquelle il ne peut plus vivre, et il en obtient d'elle la permission par un billet qu'il a l'adresse de lui faire tenir[3]. Mais
355 dans le même temps on l'avertit que le père de cette belle a
conclu son mariage avec un autre, et que tout se dispose
pour en célébrer la cérémonie. Jugez quelle atteinte cruelle
au cœur de ce triste berger. Le voilà accablé d'une mortelle
douleur. Il ne peut souffrir l'effroyable idée de voir tout ce
360 qu'il aime entre les bras d'un autre ; et son amour au désespoir lui fait trouver moyen de s'introduire dans la maison de
sa bergère, pour apprendre ses sentiments et savoir d'elle la
destinée à laquelle il doit se résoudre. Il y rencontre les
apprêts[4] de tout ce qu'il craint ; il y voit venir l'indigne rival
365 que le caprice d'un père oppose aux tendresses de son
amour. Il le voit triomphant, ce rival ridicule, auprès de

notes

1. *pour se redonner cette vue :* pour la revoir.

2. *la grande contrainte :* la grande surveillance.

3. *de lui faire tenir :* de lui faire parvenir.

4. *les apprêts :* les préparatifs.

l'aimable bergère, ainsi qu'auprès d'une conquête qui lui est assurée ; et cette vue le remplit d'une colère, dont il a peine à se rendre le maître. Il jette de douloureux regards sur celle qu'il adore ; et son respect, et la présence de son père l'empêchent de lui rien dire que des yeux. Mais enfin il force toute contrainte, et le transport de son amour l'oblige à lui parler ainsi :

(Il chante.)

370

375   *Belle Philis, c'est trop, c'est trop souffrir ;*
      Rompons ce dur silence, et m'ouvrez vos pensées.
          Apprenez-moi ma destinée :
          Faut-il vivre ? Faut-il mourir ?

ANGÉLIQUE répond en chantant.
    Vous me voyez, Tircis, triste et mélancolique,
380   *Aux apprêts de l'hymen[1] dont vous vous alarmez :*
    Je lève au ciel les yeux, je vous regarde, je soupire,
          C'est vous en dire assez.

ARGAN – Ouais ! je ne croyais pas que ma fille fût si habile que de chanter ainsi à livre ouvert, sans hésiter.

CLÉANTE
385   *Hélas ! belle Philis,*
    Se pourrait-il que l'amoureux Tircis
          Eût assez de bonheur,
    Pour avoir quelque place dans votre cœur ?

ANGÉLIQUE
    Je ne m'en défends point dans cette peine extrême :
390   *Oui, Tircis, je vous aime.*

note
_____

1. l'hymen : le mariage.

CLÉANTE

Ô parole pleine d'appas[1] !
Ai-je bien entendu, hélas !
Redites-la, Philis, que je n'en doute pas.

ANGÉLIQUE

Oui, Tircis, je vous aime.

CLÉANTE

395   De grâce, encor, Philis.

ANGÉLIQUE

Je vous aime.

CLÉANTE

Recommencez cent fois, ne vous en lassez pas.

ANGÉLIQUE

Je vous aime, je vous aime,
Oui, Tircis, je vous aime.

CLÉANTE

400 Dieux, rois, qui sous vos pieds regardez tout le monde,
Pouvez-vous comparer votre bonheur au mien ?
Mais, Philis, une pensée
Vient troubler ce doux transport :
Un rival, un rival...

ANGÉLIQUE

405   Ah ! je le hais plus que la mort ;
Et sa présence, ainsi qu'à vous,
M'est un cruel supplice.

CLÉANTE

Mais un père à ses vœux vous veut assujettir[2].

notes

1. **appas :** promesses.   2. **assujettir :** soumettre.

ANGÉLIQUE

Plutôt, plutôt mourir,
410 *Que de jamais y consentir ;*
Plutôt, plutôt mourir, plutôt mourir.

ARGAN – Et que dit le père à tout cela ?

CLÉANTE – Il ne dit rien.

ARGAN –Voilà un sot père que ce père-là, de souffrir toutes
415 ces sottises-là sans rien dire.

CLÉANTE

Ah ! mon amour…

ARGAN – Non, non, en voilà assez. Cette comédie-là est de
fort mauvais exemple. Le berger Tircis est un impertinent,
et la bergère Philis une impudente[1], de parler de la sorte
420 devant son père. Montrez-moi ce papier. Ah, ah. Où sont
donc les paroles que vous avez dites ? Il n'y a là que de la
musique écrite.

CLÉANTE – Est-ce que vous ne savez pas, monsieur, qu'on a
trouvé depuis peu l'invention d'écrire les paroles avec les
425 notes mêmes ?

ARGAN – Fort bien. Je suis votre serviteur, monsieur ; jusqu'au revoir. Nous nous serions bien passés de votre
impertinent d'opéra.

CLÉANTE – J'ai cru vous divertir.

430 **ARGAN** – Les sottises ne divertissent point. Ah ! voici ma
femme.

___
note

1. impudente : insolente.

Au fil du texte

QUE S'EST-IL PASSÉ ENTRE-TEMPS ?

1. Qui sont les personnages qui se présentent à Argan aux scènes 2 et 5 de l'acte II ?

2. Quelles sont les raisons de leur visite ?

3. Quelle attente est ainsi créée ?

réplique : paroles prononcées par un personnage.

charnière : moment du texte qui marque la séparation entre deux parties.

métaphore : figure de style qui consiste à remplacer un mot par un autre selon un rapport de ressemblance.

AVEZ-VOUS BIEN LU ?

4. Divisez cette longue scène en deux grandes parties.

5. Donnez un titre pour chacune d'elles.

6. Citez la réplique★ qui est à la charnière★ de ces deux parties.

ÉTUDIER LES DISCOURS

7. Relevez les oppositions dans le compliment de Thomas Diafoirus à Argan aux lignes 161 à 172.

8. Relevez les métaphores★ employées dans le compliment à Angélique aux lignes 191 à 204.

9. Étudiez la composition du portrait de Thomas par son père aux lignes 217 à 253.

10. Comment réussit-il à transformer en qualités les défauts de son fils ?

11. Quelle image les Diafoirus essaient-ils de se donner au travers de ces discours ?

ÉTUDIER L'ÉCRITURE

12. Qui est véritablement le berger dont Cléante raconte l'histoire aux lignes 317 à 373 ?

13. Pourquoi Cléante utilise-t-il ce subterfuge★ ?

14. Dans la chanson de Cléante et d'Angélique (lignes 375 à 416), relevez les mots ou expressions appartenant aux champs lexicaux de l'amour et de la douleur.

15. Que peut-on en déduire ?

ÉTUDIER LE COMIQUE

16. Quel procédé Molière utilise-t-il pour que les répliques entre Argan et M. Diafoirus (lignes 125 à 154) suscitent le rire ?

17. Relevez les répliques de Toinette et expliquez leur ironie★.

18. À la ligne 157, la didascalie★ nous prévient que Thomas Diafoirus est « *un grand benêt qui fait toutes choses de mauvaise grâce et à contretemps* ». Relevez dans cette scène des exemples illustrant ces indications.

ÉTUDIER UN THÈME

19. Relevez les critiques de Molière à l'égard de la médecine et des médecins qui transparaissent au cours de cette scène.

À VOS PLUMES !

20. À la manière de Molière aux lignes 125 à 154, rédigez un dialogue utilisant le même procédé.

subterfuge : ruse.

ironie : procédé qui consiste à faire comprendre le contraire de ce que l'on dit.

didascalies : indications données par l'auteur pour la mise en scène.

MISE EN SCÈNE

21. Choisissez un partenaire et jouez ce dialogue de Molière puis celui que vous aurez écrit.

LIRE L'IMAGE

22. Nommez en allant de gauche à droite les personnages représentés sur la photographie.
23. À quel moment de la scène correspond-elle ?
24. Décrivez les visages des personnages qui regardent et écoutent Thomas Diafoirus.
25. Choisissez un mot correspondant à chacun de ces visages : *inquiétude, satisfaction, moquerie, perplexité.*

Mise en scène de G. Bourdet
à la Comédie-Française (1992).

Scène 6

BÉLINE, ARGAN, TOINETTE,
ANGÉLIQUE,
MONSIEUR DIAFOIRUS,
THOMAS DIAFOIRUS

ARGAN – M'amour, voilà le fils de monsieur Diafoirus.

THOMAS DIAFOIRUS *commence un compliment qu'il avait étudié, et la mémoire lui manquant, il ne peut continuer* – Madame, c'est avec justice que le Ciel vous a concédé[1] le nom de belle-mère, puisque l'on voit sur votre visage…

BÉLINE – Monsieur, je suis ravie d'être venue ici à propos pour avoir l'honneur de vous voir.

THOMAS DIAFOIRUS – Puisque l'on voit sur votre visage… puisque l'on voit sur votre visage… Madame, vous m'avez interrompu dans le milieu de ma période[2], et cela m'a troublé la mémoire.

MONSIEUR DIAFOIRUS – Thomas, réservez cela pour une autre fois.

ARGAN – Je voudrais, mamie, que vous eussiez été ici tantôt[3].

TOINETTE – Ah! madame, vous avez bien perdu de n'avoir point été au second père, à la statue de Memnon, et à la fleur nommée héliotrope[4].

ARGAN – Allons, ma fille, touchez dans la main de monsieur, et lui donnez votre foi, comme à votre mari.

ANGÉLIQUE – Mon père.

notes

1. concédé : donné.
2. période : longue phrase.
3. tantôt : il y a quelques instants.
4. héliotrope : plante qui se tourne vers le soleil.

ARGAN – Hé bien ! « Mon père ? » Qu'est-ce que cela veut dire ?

ANGÉLIQUE – De grâce, ne précipitez pas les choses. Donnez-
455   nous au moins le temps de nous connaître, et de voir naître en nous l'un pour l'autre cette inclination si nécessaire à composer une union parfaite.

THOMAS DIAFOIRUS – Quant à moi, mademoiselle, elle est déjà toute née en moi, et je n'ai pas besoin d'attendre
460   davantage.

ANGÉLIQUE – Si vous êtes si prompt[1], monsieur, il n'en est pas de même de moi, et je vous avoue que votre mérite n'a pas encore fait assez d'impression dans mon âme.

ARGAN – Oh bien, bien ! cela aura tout le loisir de se faire,
465   quand vous serez mariés ensemble.

ANGÉLIQUE – Hé ! mon père, donnez-moi du temps, je vous prie. Le mariage est une chaîne où l'on ne doit jamais sou-mettre un cœur par force ; et si monsieur est honnête homme, il ne doit point vouloir accepter une personne qui
470   serait à lui par contrainte.

THOMAS DIAFOIRUS – *Nego consequentiam*[2], mademoiselle, et je puis être honnête homme et vouloir bien vous accepter des mains de monsieur votre père.

ANGÉLIQUE – C'est un méchant moyen de se faire aimer de
475   quelqu'un que de lui faire violence.

notes

1. **prompt :** rapide.

2. **nego consequentiam :** (latin) je refuse la conséquence. Pour Thomas, le fait d'être honnête homme n'implique pas le refus d'épouser.

THOMAS DIAFOIRUS – Nous lisons des anciens, mademoiselle, que leur coutume était d'enlever par force de la maison des pères les filles qu'on menait marier, afin qu'il ne semblât pas que ce fût de leur consentement qu'elles
480   convolaient[1] dans les bras d'un homme.

ANGÉLIQUE – Les anciens, monsieur, sont les anciens, et nous sommes les gens de maintenant. Les grimaces ne sont point nécessaires dans notre siècle ; et quand un mariage nous plaît, nous savons fort bien y aller, sans qu'on nous y traîne.
485   Donnez-vous patience : si vous m'aimez, monsieur, vous devez vouloir tout ce que je veux.

THOMAS DIAFOIRUS – Oui, mademoiselle, jusqu'aux intérêts de mon amour exclusivement.

ANGÉLIQUE – Mais la grande marque d'amour, c'est d'être
490   soumis aux volontés de celle qu'on aime.

THOMAS DIAFOIRUS – *Distinguo*[2], mademoiselle : dans ce qui ne regarde point sa possession, *concedo*[2] ; mais dans ce qui la regarde, *nego*[2].

TOINETTE – Vous avez beau raisonner : monsieur est frais
495   émoulu du collège[3], et il vous donnera toujours votre reste. Pourquoi tant résister, et refuser la gloire d'être attachée au corps de la Faculté ?

BÉLINE – Elle a peut-être quelque inclination en tête.

ANGÉLIQUE – Si j'en avais, madame, elle serait telle que la rai-
500   son et l'honnêteté pourraient me la permettre.

---

notes

1. convolaient : épousaient.

2. distinguo, concedo, nego : (latin) je distingue, je concède, je nie.

3. frais émoulu du collège : tout juste sorti du collège.

ARGAN – Ouais ! je joue ici un plaisant personnage.

BÉLINE – Si j'étais que de vous, mon fils, je ne la forcerais point à se marier, et je sais bien ce que je ferais.

ANGÉLIQUE – Je sais, madame, ce que vous voulez dire, et les
505   bontés que vous avez pour moi ; mais peut-être que vos conseils ne seront pas assez heureux pour être exécutés.

BÉLINE – C'est que les filles bien sages et bien honnêtes, comme vous, se moquent d'être obéissantes, et soumises aux volontés de leurs pères. Cela était bon autrefois.

510   ANGÉLIQUE – Le devoir d'une fille a des bornes, madame, et la raison et les lois ne l'étendent point à toutes sortes de choses.

BÉLINE – C'est-à-dire que vos pensées ne sont que pour le mariage ; mais vous voulez choisir un époux à votre fantai-
515   sie[1].

ANGÉLIQUE – Si mon père ne veut pas me donner un mari qui me plaise, je le conjurerai[2] au moins de ne me point forcer à en épouser un que je ne puisse aimer.

ARGAN – Messieurs, je vous demande pardon de tout ceci.

520   ANGÉLIQUE – Chacun a son but en se mariant. Pour moi, qui ne veux un mari que pour l'aimer véritablement, et qui prétends en faire tout l'attachement de ma vie, je vous avoue que j'y cherche quelque précaution. Il y en a d'autres qui prennent des maris seulement pour se tirer de
525   la contrainte de leurs parents, et se mettre en état de faire tout ce qu'elles voudront. Il y en a d'autres, madame, qui font du mariage un commerce de pur intérêt, qui ne se

notes

1. *à votre fantaisie :* à votre goût.

2. *je le conjurerai :* je l'implorerai.

marient que pour gagner des douaires[1], que pour s'enri-
chir par la mort de ceux qu'elles épousent, et courent sans
530   scrupule de mari en mari, pour s'approprier leurs
dépouilles[2]. Ces personnes-là, à la vérité, n'y cherchent pas
tant de façons[3], et regardent peu à la personne.

BÉLINE – Je vous trouve aujourd'hui bien raisonnante, et je
voudrais bien savoir ce que vous voulez dire par là.

535   ANGÉLIQUE – Moi, madame, que voudrais-je dire que ce que
je dis ?

BÉLINE – Vous êtes si sotte, mamie, qu'on ne saurait plus vous
souffrir.

ANGÉLIQUE – Vous voudriez bien, madame, m'obliger à vous
540   répondre quelque impertinence ; mais je vous avertis que
vous n'aurez pas cet avantage.

BÉLINE – Il n'est rien d'égal à votre insolence.

ANGÉLIQUE – Non, madame, vous avez beau dire.

BÉLINE – Et vous avez un ridicule orgueil, une impertinente
545   présomption[4] qui fait hausser les épaules à tout le monde.

ANGÉLIQUE – Tout cela, madame, ne servira de rien. Je serai
sage en dépit de vous ; et pour vous ôter l'espérance de
pouvoir réussir dans ce que vous voulez, je vais m'ôter de
votre vue.

550   ARGAN – Écoute, il n'y a point de milieu à cela[5] : choisis
d'épouser dans quatre jours, ou monsieur, ou un couvent.
(À Béline.) Ne vous mettez pas en peine, je la rangerai
bien[6].

notes

1. **douaires :** biens qu'un mari prévoit de donner à sa femme s'il meurt avant elle.
2. **leurs dépouilles :** les biens qui restent du défunt.
3. **façons :** manières.
4. **présomption :** opinion trop avantageuse de soi-même.
5. **il n'y a point de milieu à cela :** de deux choses l'une.
6. **je la rangerai bien :** je l'obligerai à obéir.

BÉLINE – Je suis fâchée de vous quitter, mon fils, mais j'ai une
₅₅₅ affaire en ville, dont je ne puis me dispenser. Je reviendrai
bientôt.

ARGAN – Allez, m'amour, et passez chez votre notaire, afin
qu'il expédie ce que vous savez.

BÉLINE – Adieu, mon petit ami.

₅₆₀ ARGAN – Adieu, mamie. Voilà une femme qui m'aime… cela
n'est pas croyable.

MONSIEUR DIAFOIRUS – Nous allons, monsieur, prendre
congé de vous.

ARGAN – Je vous prie, monsieur, de me dire un peu com-
₅₆₅ ment je suis.

MONSIEUR DIAFOIRUS *lui tâte le pouls* – Allons, Thomas, prenez l'autre bras de monsieur, pour voir si vous saurez porter un bon jugement de son pouls. *Quid dicis*[1] ?

THOMAS DIAFOIRUS – *Dico*[2] que le pouls de monsieur est le
₅₇₀ pouls d'un homme qui ne se porte point bien.

MONSIEUR DIAFOIRUS – Bon.

THOMAS DIAFOIRUS – Qu'il est duriuscule[3], pour ne pas dire
dur.

MONSIEUR DIAFOIRUS – Fort bien.

₅₇₅ THOMAS DIAFOIRUS – Repoussant[4].

MONSIEUR DIAFOIRUS – *Bene*.

THOMAS DIAFOIRUS – Et même un peu caprisant[5].

---

notes

1. quid dicis :
(latin) que dis-tu ?
2. dico : (latin) je dis.

3. duriuscule : un peu dur.
4. repoussant : qui bat assez
fort et repousse le doigt qui le
presse.

5. caprisant : irrégulier.

MONSIEUR DIAFOIRUS – *Optime*[1].

THOMAS DIAFOIRUS – Ce qui marque une intempérie[2] dans
580   le *parenchyme splénique*, c'est-à-dire la rate.

MONSIEUR DIAFOIRUS – Fort bien.

ARGAN – Non : monsieur Purgon dit que c'est mon foie qui
est malade.

MONSIEUR DIAFOIRUS – Eh ! oui : qui dit *parenchyme*, dit l'un
585   et l'autre, à cause de l'étroite sympathie[3] qu'ils ont
ensemble, par le moyen du *vas breve*[4] *du pylore*[5], et souvent
des *méats cholidoques*[6]. Il vous ordonne sans doute de manger force rôti[7] ?

ARGAN – Non, rien que du bouilli.

590 **MONSIEUR DIAFOIRUS** – Eh ! oui : rôti, bouilli, même chose.
Il vous ordonne fort prudemment, et vous ne pouvez être
en de meilleures mains.

ARGAN – Monsieur, combien est-ce qu'il faut mettre de
grains de sel dans un œuf ?

595 **MONSIEUR DIAFOIRUS** – Six, huit, dix, par les nombres pairs ;
comme dans les médicaments, par les nombres impairs.

ARGAN – Jusqu'au revoir, monsieur.

notes

1. optime : (latin) très bien.

2. intempérie : mauvaise constitution.

3. sympathie : lien.

4. vas breve : canal biliaire.

5. pylore : orifice intérieur de l'estomac.

6. méats cholidoques : conduits qui amènent la bile dans le duodénum.

7. force rôti : du rôti en grande quantité.

Au fil du texte

QUE S'EST-IL PASSÉ ENTRE-TEMPS ?

1. Qui se joint aux personnages au début de la scène 6 ?

2. Qu'a-t-on appris dans les scènes antérieures sur ses opinions à l'égard du mariage d'Angélique ?

arguments :
dans un propos argumentatif, les arguments sont les raisons qui justifient l'idée que l'on défend.

AVEZ-VOUS BIEN LU ?

3. Que demande Argan à sa fille ?

4. Comment réagit-elle ?

5. À quel moment et pourquoi Angélique et Béline quittent-elles la scène ?

6. Que demande alors Argan à M. Diafoirus ?

ÉTUDIER LE DISCOURS

7. Angélique refuse d'épouser Diafoirus : citez les arguments* qu'elle oppose à son père, à Thomas Diafoirus et à Béline.

8. Sur quel ton les exprime-t-elle ?

9. Que peut-on en déduire quant aux traits de caractère d'Angélique ?

ÉTUDIER LE COMIQUE

10. Relevez les éléments comiques de la consultation (lignes 566 à 596).

11. Quelle image donnent-ils de la médecine ?

À VOS PLUMES : LE MARIAGE IDÉAL

12. Vous écrivez à un(e) ami(e) pour lui exposer quelles seraient, selon vous, les meilleures conditions à réunir et les erreurs à éviter pour réussir le mariage idéal.

LIRE L'IMAGE

13. Décrivez les deux personnages qui sont au chevet d'Argan.

14. Relevez les éléments qui les rendent à la fois inquiétants et comiques.

15. À quels personnages de la scène correspondent-ils ?

Le Malade imaginaire par Daumier.

Scène 7   BÉLINE, ARGAN

BÉLINE – Je viens, mon fils, avant de sortir, vous donner avis[1]
d'une chose à laquelle il faut que vous preniez garde. En
600   passant par-devant la chambre d'Angélique, j'ai vu un
jeune homme avec elle, qui s'est sauvé d'abord qu'il m'a
vue.

ARGAN – Un jeune homme avec ma fille ?

BÉLINE – Oui. Votre petite fille Louison était avec eux, qui
605   pourra vous en dire des nouvelles.

ARGAN – Envoyez-la ici, m'amour, envoyez-la ici. Ah ! l'effrontée ! je ne m'étonne plus de sa résistance.

Scène 8   LOUISON, ARGAN

LOUISON – Qu'est-ce que vous voulez, mon papa ? Ma
belle-maman m'a dit que vous me demandez.

610 ARGAN – Oui. Venez çà[2], avancez là. Tournez-vous, levez les
yeux, regardez-moi. Eh !

LOUISON – Quoi, mon papa ?

ARGAN – Là.

LOUISON – Quoi ?

615 ARGAN – N'avez-vous rien à me dire ?

---

notes

1. vous donner avis : vous
prévenir.

2. venez-çà : venez ici.

LOUISON – Je vous dirai, si vous voulez, pour vous désennuyer[1], le conte de *Peau d'âne*, ou bien la fable du *Corbeau et du Renard*, qu'on m'a apprise depuis peu.

ARGAN – Ce n'est pas là ce que je vous demande.

620 LOUISON – Quoi donc ?

ARGAN – Ah ! rusée, vous savez bien ce que je veux dire.

LOUISON – Pardonnez-moi, mon papa.

ARGAN – Est-ce là comme vous m'obéissez ?

LOUISON – Quoi ?

625 ARGAN – Ne vous ai-je pas recommandé de me venir dire d'abord tout ce que vous voyez ?

LOUISON – Oui, mon papa.

ARGAN – L'avez-vous fait ?

LOUISON – Oui, mon papa. Je vous suis venue dire tout ce
630 que j'ai vu.

ARGAN – Et n'avez-vous rien vu aujourd'hui ?

LOUISON – Non, mon papa.

ARGAN – Non ?

LOUISON – Non, mon papa.

635 ARGAN – Assurément ?

LOUISON – Assurément.

ARGAN – Oh çà ! je m'en vais vous faire voir quelque chose, moi.

(Il va prendre une poignée de verges[2].)

640 LOUISON – Ah ! mon papa.

notes

1. *vous désennuyer :* vous distraire.

2. *verges :* baguettes de bois servant à frapper.

ARGAN – Ah, ah ! petite masque[1], vous ne me dites pas que vous avez vu un homme dans la chambre de votre sœur ?

LOUISON – Mon papa !

ARGAN – Voici qui vous apprendra à mentir.

645 LOUISON *se jette à genoux* – Ah ! mon papa, je vous demande pardon. C'est que ma sœur m'avait dit de ne pas vous le dire, et je m'en vais vous dire tout.

ARGAN – Il faut premièrement que vous ayez le fouet pour avoir menti. Puis après nous verrons au reste.

650 LOUISON – Pardon, mon papa !

ARGAN – Non, non.

LOUISON – Mon pauvre papa, ne me donnez pas le fouet !

ARGAN – Vous l'aurez.

LOUISON – Au nom de Dieu ! mon papa, que je ne l'aie pas.

655 ARGAN, *la prenant pour la fouetter* – Allons, allons.

LOUISON – Ah ! mon papa, vous m'avez blessée. Attendez : je suis morte.
(Elle contrefait[2] la morte.)

ARGAN – Holà ! Qu'est-ce là ? Louison, Louison. Ah ! mon
660 Dieu ! Louison. Ah ! ma fille ! Ah ! malheureux, ma pauvre fille est morte. Qu'ai-je fait, misérable ! Ah ! chiennes de verges. La peste soit des verges ! Ah ! ma pauvre fille, ma pauvre petite Louison.

LOUISON – Là, là, mon papa, ne pleurez point tant, je ne suis
665 pas morte tout à fait.

---

notes

1. petite masque : vilaine.   **2. contrefait :** fait semblant.

ARGAN — Voyez-vous la petite rusée ! Oh çà, çà ! je vous pardonne pour cette fois-ci, pourvu que vous me disiez bien tout.

LOUISON — Oh ! oui, mon papa.

670 ARGAN — Prenez-y bien garde au moins, car voilà un petit doigt qui sait tout, qui me dira si vous mentez.

LOUISON — Mais, mon papa, ne dites pas à ma sœur que je vous l'ai dit.

ARGAN — Non, non.

675 LOUISON — C'est, mon papa, qu'il est venu un homme dans la chambre de ma sœur comme j'y étais.

ARGAN — Hé bien ?

LOUISON — Je lui ai demandé ce qu'il demandait, et il m'a dit qu'il était son maître à chanter.

680 ARGAN — Hom, hom. Voilà l'affaire. Hé bien ?

LOUISON — Ma sœur est venue après.

ARGAN — Hé bien ?

LOUISON — Elle lui a dit : « Sortez, sortez, sortez, mon Dieu ! sortez ; vous me mettez au désespoir. »

685 ARGAN — Hé bien ?

LOUISON — Et lui, il ne voulait pas sortir.

ARGAN — Qu'est-ce qu'il lui disait ?

LOUISON — Il lui disait je ne sais combien de choses.

ARGAN — Et quoi encore ?

690 LOUISON — Il lui disait tout ci, tout çà[1], qu'il l'aimait bien, et qu'elle était la plus belle du monde.

note

1. *tout ci, tout çà :* plein de choses.

ARGAN – Et puis après ?

LOUISON – Et puis après, il se mettait à genoux devant elle.

ARGAN – Et puis après ?

695 LOUISON – Et puis après, il lui baisait les mains.

ARGAN – Et puis après ?

LOUISON – Et puis après, ma belle-maman est venue à la porte, et il s'est enfui.

ARGAN – Il n'y a point autre chose ?

700 LOUISON – Non, mon papa.

ARGAN –Voilà mon petit doigt pourtant qui gronde quelque chose. *(Il met son doigt à son oreille.)* Attendez. Eh ! ah, ah ! oui ? Oh, oh ! voilà mon petit doigt qui me dit quelque chose que vous avez vu, et que vous ne m'avez pas dit.

705 LOUISON – Ah ! mon papa, votre petit doigt est un menteur.

ARGAN – Prenez garde.

LOUISON – Non, mon papa, ne le croyez pas, il ment, je vous assure.

ARGAN – Oh bien, bien ! nous verrons cela. Allez-vous-en,
710 et prenez garde à tout : allez. Ah ! il n'y a plus d'enfants. Ah ! que d'affaires ! je n'ai pas seulement le loisir[1] de songer à ma maladie. En vérité, je n'en puis plus.
(Il se remet dans sa chaise.)

---

note

1. le loisir : le temps.

Au fil du texte

QUE S'EST-IL PASSÉ ENTRE-TEMPS ?

1. Quelle information Béline apporte-t-elle à Argan à la scène 7 ?

2. Quelle est la réaction d'Argan ?

3. Que décide-t-il alors ?

AVEZ-VOUS BIEN LU ?

didascalies : indications données par l'auteur pour la mise en scène.

4. Quel nouveau personnage apparaît dans la scène 8 ?

5. Pourquoi Argan l'a-t-il demandée ?

6. Réussit-il à savoir tout ce qu'il souhaite ?

ÉTUDIER LE COMIQUE

7. Pourquoi peut-on dire que Louison est une « petite rusée » ?

8. Montrez que le comique de cette scène repose sur ce trait de caractère malicieux et sur les réactions d'Argan.

9. Quel genre de papa est Argan à l'égard de Louison ?

MISE EN SCÈNE

10. Relevez toutes les didascalies* de la scène.

11. Quel type d'informations apportent-elles ?

12. Pourquoi sont-elles ici plus nombreuses que dans d'autres scènes ?

ÉTUDIER LA GRAMMAIRE

13. Relevez dans les lignes 608 à 636 toutes les phrases interrogatives.

14. Classez-les selon leur construction.

À VOS PLUMES !

15. Vous souhaitez savoir ce qu'il s'est passé pendant un cours dont vous étiez absent(e). Rédigez un dialogue au cours duquel vous poserez à un(e) ami(e) une « avalanche » de questions en vous efforçant d'en varier les constructions.

LIRE L'IMAGE

16. À quel moment de la scène correspond cette image ?

17. Relevez dans l'attitude de Louison ce qui montre qu'elle est très attentive à ce que lui dit son père.

M. Bouquet dans
le rôle d'Argan.

Scène 9   BÉRALDE, ARGAN

BÉRALDE – Hé bien! mon frère, qu'est-ce ? Comment vous
715   portez-vous ?

ARGAN – Ah! mon frère, fort mal.

BÉRALDE – Comment « fort mal » ?

ARGAN – Oui, je suis dans une faiblesse si grande que cela
n'est pas croyable.

720   BÉRALDE – Voilà qui est fâcheux.

ARGAN – Je n'ai pas seulement la force de pouvoir parler.

BÉRALDE – J'étais venu ici, mon frère, vous proposer un
parti[1] pour ma nièce Angélique.

ARGAN, *parlant avec emportement, et se levant de sa chaise* – Mon
725   frère, ne me parlez point de cette coquine-là. C'est une fri-
ponne, une impertinente, une effrontée, que je mettrai
dans un couvent avant qu'il soit deux jours.

BÉRALDE – Ah! voilà qui est bien : je suis bien aise que la
force vous revienne un peu, et que ma visite vous fasse du
730   bien. Oh çà! nous parlerons d'affaires tantôt. Je vous amène
ici un divertissement, que j'ai rencontré, qui dissipera votre
chagrin, et vous rendra l'âme mieux disposée aux choses
que nous avons à dire. Ce sont des Égyptiens[2], vêtus en
Mores[3], qui font des danses mêlées de chansons, où je suis
735   sûr que vous prendrez plaisir ; et cela vaudra bien une
ordonnance de monsieur Purgon. Allons.

---

notes

1. un parti : un mari.   **2. Égyptiens :** noms donnés à   **3. Mores :** arabes.
des bohémiens qui donnaient
des spectacles.

Second intermède

Le frère du Malade imaginaire lui amène, pour le divertir, plusieurs Égyptiens et Égyptiennes, vêtus en Mores, qui font des danses entremêlées de chansons.

PREMIÈRE FEMME MORE
>   Profitez du printemps
> 5   De vos beaux ans,
>   Aimable jeunesse ;
>   Profitez du printemps
>   De vos beaux ans,
>   Donnez-vous à la tendresse.

> 10 Les plaisirs les plus charmants,
>   Sans l'amoureuse flamme[1],
>   Pour contenter une âme
>   N'ont point d'attraits assez puissants.

note

1. l'amoureuse flamme :
la passion amoureuse.

Profitez du printemps
15 *De vos beaux ans,*
Aimable jeunesse ;
Profitez du printemps
De vos beaux ans,
Donnez-vous à la tendresse.

20 *Ne perdez point ces précieux moments :*
La beauté passe,
Le temps l'efface,
L'âge de glace
Vient à sa place,
25 *Qui nous ôte le goût de ces doux passe-temps.*

Profitez du printemps
De vos beaux ans,
Aimable jeunesse ;
Profitez du printemps
30 *De vos beaux ans,*
Donnez-vous à la tendresse.

SECONDE FEMME MORE
Quand d'aimer on nous presse
À quoi songez-vous ?
Nos cœurs, dans la jeunesse,
35 *N'ont vers la tendresse*
Qu'un penchant trop doux ;
L'amour a pour nous prendre
De si doux attraits,
Que de soi, sans attendre,
40 *On voudrait se rendre*

À ses premiers traits[1] :
Mais tout ce qu'on écoute
Des vives douleurs
Et des pleurs
15   Qu'il nous coûte
Fait qu'on en redoute
Toutes les douceurs.

TROISIÈME FEMME MORE

Il est doux, à notre âge,
D'aimer tendrement
50   Un amant
Qui s'engage :
Mais s'il est volage[2],
Hélas ! quel tourment !

QUATRIÈME FEMME MORE

L'amant qui se dégage[3]
55   N'est pas le malheur :
La douleur
Et la rage,
C'est que le volage
Garde notre cœur.

SECONDE FEMME MORE

60   Quel parti faut-il prendre
Pour nos jeunes cœurs ?

notes

1. **traits :** flèches décochées par Cupidon pour rendre les cœurs amoureux.

2. **volage :** infidèle.

3. **l'amant qui se dégage :** l'amant qui rompt.

QUATRIÈME FEMME MORE

> *Devons-nous nous y rendre*
> *Malgré ses rigueurs[1] ?*

ENSEMBLE

> *Oui, suivons ses ardeurs,*
> *Ses transports, ses caprices,*
> *Ses douces langueurs ;*
> *S'il a quelques supplices,*
> *Il a cent délices*
> *Qui charment les cœurs.*

Extrait du manuscrit autographe de Marc Antoine Charpentier.

Entrée de ballet

Tous les Mores dansent ensemble, et font sauter des singes qu'ils ont amenés avec eux.

note

1. ses rigueurs : ses cruautés.

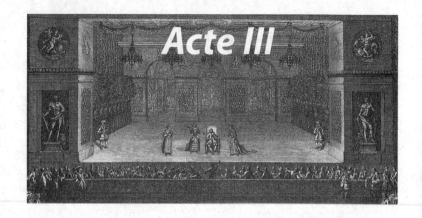

Acte III

Scène 1

BÉRALDE, ARGAN, TOINETTE

BÉRALDE – Eh bien ! mon frère, qu'en dites-vous ? cela ne vaut-il pas une prise de casse[1] ?

TOINETTE – Hom, de bonne casse est bonne.

BÉRALDE – Oh çà ! voulez-vous que nous parlions un peu ensemble ?

ARGAN – Un peu de patience, mon frère, je vais revenir.

TOINETTE – Tenez, monsieur, vous ne songez pas que vous ne sauriez marcher sans bâton.

ARGAN – Tu as raison.

---

note

1. prise de casse : prise d'un remède purgatif fabriqué à partir d'un végétal exotique.

Scène 2   BÉRALDE, TOINETTE

10   TOINETTE – N'abandonnez pas, s'il vous plaît, les intérêts de votre nièce.

BÉRALDE – J'emploierai toutes choses pour lui obtenir ce qu'elle souhaite.

TOINETTE – Il faut absolument empêcher ce mariage extra-
15   vagant qu'il s'est mis dans la fantaisie[1], et j'avais songé en moi-même que ç'aurait été une bonne affaire de pouvoir introduire ici un médecin à notre poste[2], pour le dégoûter de son monsieur Purgon, et lui décrier[3] sa conduite. Mais, comme nous n'avons personne en main pour cela, j'ai
20   résolu de jouer un tour de ma tête.

BÉRALDE – Comment ?

TOINETTE – C'est une imagination burlesque[4]. Cela sera peut-être plus heureux que sage. Laissez-moi faire : agissez de votre côté. Voici notre homme.

Scène 3   ARGAN, BÉRALDE

25   BÉRALDE – Vous voulez bien, mon frère, que je vous demande, avant toute chose, de ne vous point échauffer l'esprit dans notre conversation.

ARGAN – Voilà qui est fait.

notes

1. *qu'il s'est mis dans la fantaisie :* qu'il s'est imaginé.

2. *à notre poste :* pour nous servir.

3. *décrier :* critiquer.

4. *burlesque :* comique.

BÉRALDE – De répondre sans nulle aigreur[1] aux choses que
30   je pourrai vous dire.

ARGAN – Oui.

BÉRALDE – Et de raisonner ensemble, sur les affaires dont
nous avons à parler, avec un esprit détaché de toute passion.

35   ARGAN – Mon Dieu! oui. Voilà bien du préambule[2].

BÉRALDE – D'où vient, mon frère, qu'ayant le bien que vous
avez, et n'ayant d'enfants qu'une fille, car je ne compte pas
la petite, d'où vient, dis-je, que vous parlez de la mettre
dans un couvent ?

40   ARGAN – D'où vient, mon frère, que je suis maître dans ma
famille pour faire ce que bon me semble ?

BÉRALDE – Votre femme ne manque pas de vous conseiller
de vous défaire[3] ainsi de vos deux filles, et je ne doute
point que, par un esprit de charité, elle ne fût ravie de les
45   voir toutes deux bonnes religieuses.

ARGAN – Oh çà! nous y voici. Voilà d'abord la pauvre
femme en jeu[4] : c'est elle qui fait tout le mal, et tout le
monde lui en veut.

BÉRALDE – Non, mon frère ; laissons-la là ; c'est une femme
50   qui a les meilleures intentions du monde pour votre
famille, et qui est détachée de toute sorte d'intérêt, qui a
pour vous une tendresse merveilleuse, et qui montre pour
vos enfants une affection et une bonté qui n'est pas concevable[5] : cela est certain. N'en parlons point, et revenons à

---

notes

1. sans nulle aigreur : sans se fâcher.

2. voilà bien du préambule : voilà bien un long discours.

3. vous défaire : vous débarrasser.

4. en jeu : en cause.

5. concevable : imaginable.

55 votre fille. Sur quelle pensée, mon frère, la voulez-vous donner en mariage au fils d'un médecin ?

ARGAN – Sur la pensée, mon frère, de me donner un gendre tel qu'il me faut.

BÉRALDE – Ce n'est point là, mon frère, le fait de votre fille[1],
60 et il se présente un parti plus sortable[2] pour elle.

ARGAN – Oui, mais celui-ci, mon frère, est plus sortable pour moi.

BÉRALDE – Mais le mari qu'elle doit prendre doit-il être, mon frère, ou pour elle, ou pour vous ?

65 ARGAN – Il doit être, mon frère, et pour elle, et pour moi, et je veux mettre dans ma famille les gens dont j'ai besoin.

BÉRALDE – Par cette raison-là, si votre petite était grande, vous lui donneriez en mariage un apothicaire[3] ?

ARGAN – Pourquoi non ?

70 BÉRALDE – Est-il possible que vous serez toujours embéguiné[4] de vos apothicaires et de vos médecins, et que vous vouliez être malade en dépit des gens et de la nature ?

ARGAN – Comment l'entendez-vous[5], mon frère ?

BÉRALDE – J'entends, mon frère, que je ne vois point
75 d'homme qui soit moins malade que vous, et que je ne demanderais point une meilleure constitution que la vôtre. Une grande marque que vous vous portez bien et que vous avez un corps parfaitement bien composé[6], c'est qu'avec tous les soins que vous avez pris, vous n'avez pu

80 parvenir encore à gâter la bonté de votre tempérament[1], et que vous n'êtes point crevé de toutes les médecines qu'on vous a fait prendre.

ARGAN – Mais savez-vous, mon frère, que c'est cela qui me conserve, et que monsieur Purgon dit que je succomberais,
85 s'il était seulement trois jours sans prendre soin de moi ?

BÉRALDE – Si vous n'y prenez garde, il prendra tant de soin de vous qu'il vous enverra en l'autre monde.

ARGAN – Mais raisonnons un peu, mon frère. Vous ne croyez donc point à la médecine ?

90 BÉRALDE – Non, mon frère, et je ne vois pas que, pour son salut, il soit nécessaire d'y croire.

ARGAN – Quoi ? vous ne tenez pas véritable une chose établie par tout le monde, et que tous les siècles ont révérée[2] ?

BÉRALDE – Bien loin de la tenir véritable, je la trouve, entre
95 nous, une des plus grandes folies qui soit parmi les hommes, et à regarder les choses en philosophe, je ne vois point de plus plaisante momerie[3], je ne vois rien de plus ridicule qu'un homme qui se veut mêler d'en guérir un autre.

100 ARGAN – Pourquoi ne voulez-vous pas, mon frère, qu'un homme en puisse guérir un autre ?

BÉRALDE – Par la raison, mon frère, que les ressorts de notre machine[4] sont des mystères, jusques ici, où les hommes ne voient goutte, et que la nature nous a mis au-devant des
105 yeux des voiles trop épais pour y connaître quelque chose.

---

notes

1. *la bonté de votre tempérament :* votre bonne santé.

2. *révérée :* honorée, respectée.

3. *momerie :* farce divertissante avec des masques ; hypocrisie.

4. *notre machine :* notre corps.

ARGAN – Les médecins ne savent donc rien, à votre compte ?

BÉRALDE – Si fait, mon frère. Ils savent la plupart de fort belles humanités[1], savent parler en beau latin, savent nom-
110 mer en grec toutes les maladies, les définir et les diviser ; mais, pour ce qui est de les guérir, c'est ce qu'ils ne savent point du tout.

ARGAN – Mais toujours faut-il demeurer d'accord que, sur cette matière, les médecins en savent plus que les autres.

115 BÉRALDE – Ils savent, mon frère, ce que je vous ai dit, qui ne guérit pas de grand-chose ; et toute l'excellence de leur art consiste en un pompeux galimatias[2], en un spécieux babil[3], qui vous donne des mots pour des raisons, et des promesses pour des effets.

120 ARGAN – Mais enfin, mon frère, il y a des gens aussi sages et aussi habiles que vous ; et nous voyons que, dans la maladie, tout le monde a recours aux médecins.

BÉRALDE – C'est une marque de la faiblesse humaine, et non pas de la vérité de leur art.

125 ARGAN – Mais il faut bien que les médecins croient leur art véritable, puisqu'ils s'en servent pour eux-mêmes.

BÉRALDE – C'est qu'il y en a parmi eux qui sont eux-mêmes dans l'erreur populaire, dont ils profitent, et d'autres qui en profitent sans y être. Votre monsieur Purgon, par exemple,
130 n'y sait point de finesse[4] : c'est un homme tout médecin,

---

notes

1. *humanités :* études littéraires (grammaire, rhétorique, poésie).

2. *pompeux galimatias :* discours prétentieux et confus.

3. *spécieux babil :* bavardage futile mais de belle apparence.

4. *n'y sait point de finesse :* est sincère.

depuis la tête jusqu'aux pieds ; un homme qui croit à ses règles plus qu'à toutes les démonstrations des mathématiques, et qui croirait du crime à les vouloir examiner ; qui ne voit rien d'obscur dans la médecine, rien de douteux, rien de difficile, et qui, avec une impétuosité de prévention[1], une raideur de confiance, une brutalité de sens commun et de raison[2], donne au travers[3] des purgations et des saignées, et ne balance[4] aucune chose. Il ne lui faut point vouloir mal de tout ce qu'il pourra vous faire : c'est de la meilleure foi du monde qu'il vous expédiera[5], et il ne fera, en vous tuant, que ce qu'il a fait à sa femme et à ses enfants, et ce qu'en un besoin il ferait à lui-même.

ARGAN – C'est que vous avez, mon frère, une dent de lait contre lui[6]. Mais enfin venons au fait. Que faire donc quand on est malade ?

BÉRALDE – Rien, mon frère.

ARGAN – Rien ?

BÉRALDE – Rien. Il ne faut que demeurer en repos. La nature, d'elle-même, quand nous la laissons faire, se tire doucement du désordre où elle est tombée. C'est notre inquiétude, c'est notre impatience qui gâte tout, et presque tous les hommes meurent de leurs remèdes, et non pas de leurs maladies.

ARGAN – Mais il faut demeurer d'accord, mon frère, qu'on peut aider cette nature par de certaines choses.

---

notes

1. une impétuosité de prévention : beaucoup de préjugés.

2. une raideur de confiance, une brutalité de sens commun et de raison : un manque de discernement.

3. donne au travers : se jette de manière irréfléchie.

4. ne balance : n'examine.

5. expédiera (dans l'autre monde) : tuera.

6. vous avez une dent de lait contre lui : vous lui en voulez.

BÉRALDE – Mon Dieu ! mon frère, ce sont pures idées, dont nous aimons à nous repaître[1] ; et, de tout temps, il s'est glissé parmi les hommes de belles imaginations, que nous venons à croire, parce qu'elles nous flattent et qu'il serait à
160 souhaiter qu'elles fussent véritables. Lorsqu'un médecin vous parle d'aider, de secourir, de soulager la nature, de lui ôter ce qui lui nuit et lui donner ce qui lui manque, de la rétablir et de la remettre dans une pleine facilité de ses fonctions ; lorsqu'il vous parle de rectifier le sang, de tem-
165 pérer les entrailles et le cerveau, de dégonfler la rate, de rac- commoder la poitrine, de réparer le foie, de fortifier le cœur, de rétablir et conserver la chaleur naturelle, et d'avoir des secrets pour étendre la vie à de longues années : il vous dit justement le roman de la médecine. Mais quand vous
170 en venez à la vérité et à l'expérience, vous ne trouvez rien de tout cela, et il en est comme de ces beaux songes qui ne vous laissent au réveil que le déplaisir de les avoir crus.

ARGAN – C'est-à-dire que toute la science du monde est renfermée dans votre tête, et vous voulez en savoir plus que
175 tous les grands médecins de notre siècle.

BÉRALDE – Dans les discours et dans les choses, ce sont deux sortes de personnes que vos grands médecins. Entendez-les parler : les plus habiles gens du monde ; voyez-les faire, les plus ignorants de tous les hommes.

180 ARGAN – Ouais ! Vous êtes un grand docteur, à ce que je vois, et je voudrais bien qu'il y eût ici quelqu'un de ces messieurs pour rembarrer[2] vos raisonnements et rabaisser votre caquet[3].

notes

1. *repaître :* délecter, savourer. 2. *rembarrer :* combattre fermement. 3. *rabaisser votre caquet :* vous rendre moins prétentieux.

BÉRALDE – Moi, mon frère, je ne prends point à tâche de
185 combattre la médecine ; et chacun, à ses périls et fortune[1],
peut croire tout ce qu'il lui plaît. Ce que j'en dis n'est
qu'entre nous, et j'aurais souhaité de pouvoir un peu vous
tirer de l'erreur où vous êtes, et, pour vous divertir, vous
mener voir sur ce chapitre quelqu'une des comédies de
190 Molière.

ARGAN – C'est un bon impertinent que votre Molière avec
ses comédies, et je le trouve bien plaisant d'aller jouer
d'honnêtes gens comme les médecins.

BÉRALDE – Ce ne sont point les médecins qu'il joue, mais le
195 ridicule de la médecine.

ARGAN – C'est bien à lui de se mêler de contrôler la médecine ; voilà un bon nigaud, un bon impertinent, de se
moquer des consultations et des ordonnances, de s'attaquer
au corps des médecins, et d'aller mettre sur son théâtre des
200 personnes vénérables[2] comme ces messieurs-là.

BÉRALDE – Que voulez-vous qu'il y mette que les diverses
professions des hommes ? On y met bien tous les jours les
princes et les rois, qui sont d'aussi bonne maison que les
médecins.

205 ARGAN – Par la mort non de diable ! si j'étais que des médecins, je me vengerais de son impertinence ; et quand il sera
malade, je le laisserais mourir sans secours. Il aurait beau
faire et beau dire, je ne lui ordonnerais pas la moindre
petite saignée, le moindre petit lavement, et je lui dirais :
210 « Crève, crève ! cela t'apprendra une autre fois à te jouer à[3]
la Faculté. »

---

notes

1. à ses périls et fortune :   **2. vénérables :** respectables.   **3. te jouer à :** t'attaquer à.
à ses risques et périls.

BÉRALDE – Vous voilà bien en colère contre lui.

ARGAN – Oui, c'est un malavisé[1], et si les médecins sont sages, ils feront ce que je dis.

215 BÉRALDE – Il sera encore plus sage que vos médecins, car il ne leur demandera point de secours.

ARGAN – Tant pis pour lui s'il n'a point recours aux remèdes.

BÉRALDE – Il a ses raisons pour n'en point vouloir, et il soutient que cela n'est permis qu'aux gens vigoureux et 220 robustes, et qui ont des forces de reste pour porter[2] les remèdes avec la maladie ; mais que, pour lui, il n'a justement de la force que pour porter son mal.

ARGAN – Les sottes raisons que voilà ! Tenez, mon frère, ne parlons point de cet homme-là davantage, car cela 225 m'échauffe la bile, et vous me donneriez mon mal.

BÉRALDE – Je le veux bien, mon frère ; et, pour changer de discours, je vous dirai que, sur une petite répugnance[3] que vous témoigne votre fille, vous ne devez point prendre les résolutions violentes de la mettre dans un couvent ; que, 230 pour le choix d'un gendre, il ne vous faut pas suivre aveuglément la passion qui vous emporte, et qu'on doit, sur cette matière, s'accommoder un peu[4] à l'inclination d'une fille, puisque c'est pour toute la vie, et que de là dépend tout le bonheur d'un mariage.

notes

1. *malavisé :* sot.
2. *porter :* supporter.
3. *une petite répugnance :* un désaccord, un rejet.
4. *s'accomoder un peu :* s'adapter, se conformer.

Au fil du texte

QUE S'EST-IL PASSÉ ENTRE-TEMPS ?

1. Qui est Béralde ?

2. Que propose-t-il pour Angélique à la scène 9 de l'acte II ?

3. Quel stratagème* Toinette prépare-t-elle à la scène 2 de l'acte III ?

*stratagème :
ruse habile.*

AVEZ-VOUS BIEN LU ?

4. Quels sont les points de vue, d'une part de Béralde et d'autre part d'Argan, à propos :

a) du mariage d'Angélique ?

b) des médecins ?

c) des comédies de Molière ?

5. Que peut-on constater sur les points de vue de ces deux personnages ?

6. Quel personnage, selon vous, exprime les idées de Molière ?

ÉTUDIER LE DISCOURS

7. Relevez, pour chacun des trois sujets de discussion, les arguments développés par les deux personnages tout au long de cette scène.

8. Pourquoi peut-on dire que ces trois sujets sont indissociables dans la pièce ?

ÉTUDIER LA GRAMMAIRE

9. Dans la réplique d'Argan (lignes 205 à 211), relevez les verbes conjugués au conditionnel.

10. Justifiez l'emploi de ce mode.

11. Sachant que Molière a écrit cette pièce et joué le rôle d'Argan alors qu'il était malade, à votre avis, quels effets a produit cette réplique sur les spectateurs de l'époque ?

À VOS PLUMES !

12. À votre tour, rédigez un texte commençant par « *Si j'étais* » et se poursuivant avec l'emploi du conditionnel.

LIRE L'IMAGE

13. Décrivez le costume de ce médecin.

14. Lisez la légende de l'image puis justifiez cette façon de s'habiller.

15. Qu'en déduisez-vous quant au rôle des médecins ?

Costume des médecins employés lors de la Peste de Marseille en 1720 (aquarelle de l'époque).

Scène 4

MONSIEUR FLEURANT (*une seringue à la main*), ARGAN, BÉRALDE

235 ARGAN – Ah! mon frère, avec votre permission.

BÉRALDE – Comment? que voulez-vous faire?

ARGAN – Prendre ce petit lavement-là; ce sera bientôt fait.

BÉRALDE – Vous vous moquez. Est-ce que vous ne sauriez être un moment sans lavement ou sans médecine? 240 Remettez cela à une autre fois, et demeurez un peu en repos.

ARGAN – Monsieur Fleurant, à ce soir, ou à demain au matin.

MONSIEUR FLEURANT, *à Béralde* – De quoi vous mêlez-vous 245 de vous opposer aux ordonnances de la médecine, et d'empêcher monsieur de prendre mon clystère? Vous êtes bien plaisant d'avoir cette hardiesse-là!

BÉRALDE – Allez, monsieur, on voit bien que vous n'avez pas accoutumé[1] de parler à des visages.

250 MONSIEUR FLEURANT – On ne doit point ainsi se jouer[2] des remèdes, et me faire perdre mon temps. Je ne suis venu ici que sur une bonne ordonnance, et je vais dire à monsieur Purgon comme on m'a empêché d'exécuter ses ordres et de faire ma fonction. Vous verrez, vous verrez…

255 ARGAN – Mon frère, vous serez cause ici de quelque malheur.

BÉRALDE – Le grand malheur de ne pas prendre un lavement que monsieur Purgon a ordonné. Encore un coup, mon

---

notes

1. vous n'avez pas accoutumé: vous n'avez pas l'habitude.   **2. se jouer de:** se moquer de.

260 frère, est-il possible qu'il n'y ait pas moyen de vous guérir de la maladie des médecins, et que vous vouliez être, toute votre vie, enseveli dans leurs remèdes ?

ARGAN – Mon Dieu ! mon frère, vous en parlez comme un homme qui se porte bien ; mais, si vous étiez à ma place, vous changeriez bien de langage. Il est aisé de parler contre

265 la médecine quand on est en pleine santé.

BÉRALDE – Mais quel mal avez-vous ?

ARGAN – Vous me feriez enrager. Je voudrais que vous l'eussiez mon mal, pour voir si vous jaseriez[1] tant. Ah ! voici monsieur Purgon,

Scène 5

MONSIEUR PURGON, ARGAN,
BÉRALDE, TOINETTE

270 MONSIEUR PURGON – Je viens d'apprendre là-bas, à la porte, de jolies nouvelles : qu'on se moque ici de mes ordonnances, et qu'on a fait refus de prendre le remède que j'avais prescrit.

ARGAN – Monsieur, ce n'est pas…

275 MONSIEUR PURGON – Voilà une hardiesse bien grande, une étrange rébellion d'un malade contre son médecin.

TOINETTE – Cela est épouvantable.

MONSIEUR PURGON – Un clystère que j'avais pris plaisir à composer moi-même.

note

1. jaser : bavarder, médire.

280   ARGAN – Ce n'est pas moi…

MONSIEUR PURGON – Inventé et formé dans toutes les règles de l'art.

TOINETTE – Il a tort.

MONSIEUR PURGON – Et qui devait faire dans des entrailles
285   un effet merveilleux.

ARGAN – Mon frère ?

MONSIEUR PURGON – Le renvoyer avec mépris !

ARGAN – C'est lui…

MONSIEUR PURGON – C'est une action exorbitante[1].

290   TOINETTE – Cela est vrai.

MONSIEUR PURGON – Un attentat énorme contre la médecine.

ARGAN – Il est cause…

MONSIEUR PURGON – Un crime de lèse-Faculté[2], qui ne se
295   peut assez punir.

TOINETTE – Vous avez raison.

MONSIEUR PURGON – Je vous déclare que je romps commerce[3] avec vous.

ARGAN – C'est mon frère…

300   MONSIEUR PURGON – Que je ne veux plus d'alliance avec
vous.

TOINETTE – Vous ferez bien.

notes

1. action exorbitante : qui est contraire au droit.

2. lèse-Faculté : (jeu de mots à partir de « lèse-majesté ») qui porte atteinte à la Faculté.

3. je romps commerce : je mets un terme à mes relations médecin/client.

MONSIEUR PURGON – Et que, pour finir toute liaison avec vous, voilà la donation[1] que je faisais à mon neveu, en
305 faveur du mariage. *(Il déchire violemment la donation.)*

ARGAN – C'est mon frère qui a fait tout le mal.

MONSIEUR PURGON – Mépriser mon clystère !

ARGAN – Faites-le venir, je m'en vais le prendre.

MONSIEUR PURGON – Je vous aurais tiré d'affaire avant qu'il
310 fût peu.

TOINETTE – Il ne le mérite pas.

MONSIEUR PURGON – J'allais nettoyer votre corps et en évacuer entièrement les mauvaises humeurs.

ARGAN – Ah, mon frère !

315 MONSIEUR PURGON – Et je ne voulais plus qu'une douzaine de médecines, pour vider le fond du sac[2].

TOINETTE – Il est indigne de vos soins.

MONSIEUR PURGON – Mais puisque vous n'avez pas voulu guérir par mes mains.

320 ARGAN – Ce n'est pas ma faute.

MONSIEUR PURGON – Puisque vous vous êtes soustrait de l'obéissance que l'on doit à son médecin.

TOINETTE – Cela crie vengeance.

MONSIEUR PURGON – Puisque vous vous êtes déclaré rebelle
325 aux remèdes que je vous ordonnais…

ARGAN – Hé ! point du tout.

MONSIEUR PURGON – J'ai à vous dire que je vous abandonne à votre mauvaise constitution, à l'intempérie de vos

---

notes

1. **donation :** contrat par lequel on fait un don.

2. **vider le fond du sac :** vous nettoyer complètement.

330 entrailles, à la corruption de votre sang, à l'âcreté de votre bile et à la féculence[1] de vos humeurs.

TOINETTE – C'est fort bien fait.

ARGAN – Mon Dieu !

MONSIEUR PURGON – Et je veux qu'avant qu'il soit quatre jours vous deveniez dans un état incurable[2].

335 ARGAN – Ah ! miséricorde !

MONSIEUR PURGON – Que vous tombiez dans la bradypepsie[3].

ARGAN – Monsieur Purgon !

MONSIEUR PURGON – De la bradypepsie dans la dyspepsie[4].

340 ARGAN – Monsieur Purgon !

MONSIEUR PURGON – De la dyspepsie dans l'apepsie[5].

ARGAN – Monsieur Purgon !

MONSIEUR PURGON – De l'apepsie dans la lienterie[6]…

ARGAN – Monsieur Purgon !

345 MONSIEUR PURGON – De la lienterie dans la dysenterie[7]…

ARGAN – Monsieur Purgon !

MONSIEUR PURGON – De la dysenterie dans l'hydropisie[8]…

ARGAN – Monsieur Purgon !

MONSIEUR PURGON – Et de l'hydropisie dans la privation de
350 la vie, où vous aura conduit votre folie.

notes

1. la féculence : l'impureté.

2. incurable : dont on ne peut guérir.

3. bradypepsie : lenteur de digestion.

4. dyspepsie : mauvaise digestion.

5. apepsie : absence de digestion.

6. lienterie : diarrhée.

7. dysenterie : diarrhée mortelle.

8. hydropisie : accumulation d'eau.

Scène 6   ARGAN, BÉRALDE

ARGAN – Ah, mon Dieu ! je suis mort. Mon frère, vous m'avez perdu.

BÉRALDE – Quoi ? qu'y a-t-il ?

ARGAN – Je n'en puis plus. Je sens déjà que la médecine se
355   venge.

BÉRALDE – Ma foi ! mon frère, vous êtes fou, et je ne voudrais pas, pour beaucoup de choses, qu'on vous vît faire ce que vous faites. Tâtez-vous[1] un peu, je vous prie, revenez à vous-même, et ne donnez point tant à votre imagination.

360 ARGAN – Vous voyez, mon frère, les étranges maladies dont il m'a menacé.

BÉRALDE – Le simple homme que vous êtes !

ARGAN – Il dit que je deviendrai incurable avant qu'il soit quatre jours.

365 BÉRALDE – Et ce qu'il dit, que fait-il à la chose ? Est-ce un oracle[2] qui a parlé ? Il semble, à vous entendre, que monsieur Purgon tienne dans sa main le filet[3] de vos jours, et que, d'autorité suprême, il vous l'allonge et vous le raccourcisse comme il lui plaît. Songez que les principes de
370   votre vie sont en vous-même, et que le courroux[4] de monsieur Purgon est aussi peu capable de vous faire mourir que ses remèdes de vous faire vivre. Voici une aventure, si vous voulez, à vous défaire des médecins, ou, si vous êtes

---

notes

1. tâtez-vous : réfléchissez.

2. oracle : personne qui exprime la volonté de Dieu.

3. le filet : image du cours de la vie.

4. le courroux : la colère.

né à ne pouvoir vous en passer, il est aisé d'en avoir un
375 autre, avec lequel, mon frère, vous puissiez courir un peu
moins de risque.

ARGAN – Ah! mon frère, il sait tout mon tempérament et la
manière dont il faut me gouverner[1].

BÉRALDE – Il faut vous avouer que vous êtes un homme
380 d'une grande prévention[2], et que vous voyez les choses
avec d'étranges yeux.

Scène 7   TOINETTE, ARGAN, BÉRALDE

TOINETTE – Monsieur, voilà un médecin qui demande à
vous voir.

ARGAN – Et quel médecin ?

385 TOINETTE – Un médecin de la médecine.

ARGAN – Je te demande qui il est ?

TOINETTE – Je ne le connais pas ; mais il me ressemble
comme deux gouttes d'eau, et si je n'étais sûre que ma
mère était honnête femme, je dirais que ce serait quelque
390 petit frère qu'elle m'aurait donné depuis le trépas[3] de mon
père.

ARGAN – Fais-le venir.

BÉRALDE – Vous êtes servi à souhait : un médecin vous quitte,
un autre se présente.

---

notes

1. *me gouverner :* me soigner. 2. *d'une grande prévention :* 3. *le trépas :* la mort.
                                    avec beaucoup de préjugés.

395 ARGAN – J'ai bien peur que vous ne soyez cause de quelque malheur.

BÉRALDE – Encore ! vous en revenez toujours là ?

ARGAN – Voyez-vous ? j'ai sur le cœur toutes ces maladies-là que je ne connais point, ces…

Scène 8

TOINETTE (*en médecin*), ARGAN, BÉRALDE

400 TOINETTE – Monsieur, agréez que je vienne vous rendre visite et vous offrir mes petits services pour toutes les saignées et les purgations dont vous aurez besoin.

ARGAN – Monsieur, je vous suis fort obligé[1]. Par ma foi ! voilà Toinette elle-même.

405 TOINETTE – Monsieur, je vous prie de m'excuser, j'ai oublié de donner une commission à mon valet ; je reviens tout à l'heure.

ARGAN – Eh ! ne diriez-vous pas que c'est effectivement Toinette ?

410 BÉRALDE – Il est vrai que la ressemblance est tout à fait grande. Mais ce n'est pas la première fois qu'on a vu de ces sortes de choses, et les histoires ne sont pleines que de ces jeux de la nature.

ARGAN – Pour moi, j'en suis surpris, et…

---

note

1. je vous suis fort obligé : je vous suis très reconnaissant.

Scène 9 TOINETTE, ARGAN, BÉRALDE

415 TOINETTE *quitte son habit de médecin si promptement*[1] *qu'il est difficile de croire que ce soit elle qui a paru en médecin* – Que voulez-vous, monsieur ?

ARGAN – Comment ?

TOINETTE – Ne m'avez-vous pas appelée ?

420 ARGAN – Moi ? non.

TOINETTE – Il faut donc que les oreilles m'aient corné[2].

ARGAN – Demeure un peu ici pour voir comme ce médecin te ressemble.

TOINETTE, *en sortant, dit* – Oui, vraiment, j'ai affaire là-bas, et
425 je l'ai assez vu.

ARGAN – Si je ne les voyais tous deux, je croirais que ce n'est qu'un.

BÉRALDE – J'ai lu des choses surprenantes de ces sortes de ressemblances, et nous en avons vu de notre temps où tout
430 le monde s'est trompé.

ARGAN – Pour moi, j'aurais été trompé à celle-là, et j'aurais juré que c'est la même personne.

Scène 10 TOINETTE (*en médecin*), ARGAN,
BÉRALDE

TOINETTE – Monsieur, je vous demande pardon de tout mon cœur.

notes

1. *si promptement :* si
rapidement.

2. *corné :* fait entendre des
voix.

435 ARGAN – Cela est admirable !

TOINETTE – Vous ne trouverez pas mauvais, s'il vous plaît, la curiosité que j'ai eue de voir un illustre malade comme vous êtes ; et votre réputation, qui s'étend partout, peut excuser la liberté que j'ai prise.

440 ARGAN – Monsieur, je suis votre serviteur.

TOINETTE – Je vois, monsieur, que vous me regardez fixement. Quel âge croyez-vous bien que j'aie ?

ARGAN – Je crois que tout au plus vous pouvez avoir vingt-six ou vingt-sept ans.

445 TOINETTE – Ah, ah, ah, ah, ah ! j'en ai quatre-vingt-dix.

ARGAN – Quatre-vingt-dix ?

TOINETTE – Oui. Vous voyez un effet des secrets de mon art, de me conserver ainsi frais et vigoureux.

ARGAN – Par ma foi ! voilà un beau jeune vieillard pour
450 quatre-vingt-dix ans.

TOINETTE – Je suis médecin passager[1], qui vais de ville en ville, de province en province, de royaume en royaume, pour chercher d'illustres matières à ma capacité, pour trouver des malades dignes de m'occuper, capables d'exercer les
455 grands et beaux secrets que j'ai trouvés dans la médecine. Je dédaigne de m'amuser à ce menu fatras[2] de maladies ordinaires, à ces bagatelles de rhumatismes et de fluxions[3], à ces fiévrottes[4], à ces vapeurs[5], et à ces migraines. Je veux des maladies d'importance : de bonnes fièvres continues
460 avec des transports au cerveau, de bonnes fièvres pour-

notes

1. médecin passager : médecin ambulant.

2. fatras : ensemble confus.
3. fluxions : afflux de liquide.

4. fiévrottes : fièvres légères.
5. vapeurs : légers troubles.

prées[1], de bonnes pestes, de bonnes hydropisies formées, de bonnes pleurésies[2] avec des inflammations de poitrine : c'est là que je me plais, c'est là que je triomphe ; et je voudrais, monsieur, que vous eussiez toutes les maladies que je viens de dire, que vous fussiez abandonné de tous les médecins, désespéré, à l'agonie, pour vous montrer l'excellence de mes remèdes, et l'envie que j'aurais de vous rendre service.

ARGAN – Je vous suis obligé, monsieur, des bontés que vous avez pour moi.

TOINETTE – Donnez-moi votre pouls. Allons donc, que l'on batte comme il faut. Ah ! je vous ferai bien aller comme vous devez. Ouais ! ce pouls-là fait l'impertinent : je vois bien que vous ne me connaissez pas encore. Qui est votre médecin ?

ARGAN – Monsieur Purgon.

TOINETTE – Cet homme-là n'est point écrit sur mes tablettes entre[3] les grands médecins. De quoi dit-il que vous êtes malade ?

ARGAN – Il dit que c'est du foie, et d'autres disent que c'est de la rate.

TOINETTE – Ce sont tous des ignorants : c'est du poumon que vous êtes malade.

ARGAN – Du poumon ?

TOINETTE – Oui. Que sentez-vous ?

ARGAN – Je sens de temps en temps des douleurs de tête.

TOINETTE – Justement, le poumon.

---

notes

1. pourprées : accompagnées de taches rouges.   **2. pleurésies :** inflammations du poumon.   **3. entre :** parmi.

ARGAN – Il me semble parfois que j'ai un voile devant les yeux.

490 TOINETTE – Le poumon.

ARGAN – J'ai quelquefois des maux de cœur.

TOINETTE – Le poumon.

ARGAN – Je sens parfois des lassitudes par tous les membres.

TOINETTE – Le poumon.

495 ARGAN – Et quelquefois il me prend des douleurs dans le ventre, comme si c'était des coliques.

TOINETTE – Le poumon. Vous avez appétit à ce que vous mangez ?

ARGAN – Oui, monsieur.

500 TOINETTE – Le poumon. Vous aimez à boire un peu de vin ?

ARGAN – Oui, monsieur.

TOINETTE – Le poumon. Il vous prend un petit sommeil après le repas et vous êtes bien aise de dormir ?

ARGAN – Oui, monsieur.

505 TOINETTE – Le poumon, le poumon, vous dis-je. Que vous ordonne votre médecin pour votre nourriture ?

ARGAN – Il m'ordonne du potage.

TOINETTE – Ignorant.

ARGAN – De la volaille.

510 TOINETTE – Ignorant.

ARGAN – Du veau.

TOINETTE – Ignorant.

ARGAN – Des bouillons.

TOINETTE – Ignorant.

515 ARGAN – Des œufs frais.

TOINETTE – Ignorant.

ARGAN – Et le soir de petits pruneaux pour lâcher le ventre.

TOINETTE – Ignorant.

ARGAN – Et surtout de boire mon vin fort trempé[1].

520 TOINETTE – *Ignorantus, ignoranta, ignorantum*[2]. Il faut boire votre vin pur ; et pour épaissir votre sang qui est trop subtil[3], il faut manger du bon gros bœuf, de bon gros porc, de bon fromage de Hollande, du gruau[4] et du riz, et des marrons et des oublies[5], pour coller et conglutiner[6]. Votre
525 médecin est une bête. Je veux vous en envoyer un de ma main, et je viendrai vous voir de temps en temps, tandis que je serai en cette ville.

ARGAN – Vous m'obligez beaucoup.

TOINETTE – Que diantre faites-vous de ce bras-là ?

530 ARGAN – Comment ?

TOINETTE – Voilà un bras que je me ferais couper tout à l'heure, si j'étais que de vous.

ARGAN – Et pourquoi ?

TOINETTE – Ne voyez-vous pas qu'il tire à soi toute la nour-
535 riture, et qu'il empêche ce côté-là de profiter ?

ARGAN – Oui ; mais j'ai besoin de mon bras.

TOINETTE – Vous avez là aussi un œil droit que je me ferais crever, si j'étais en votre place.

notes

1. **vin fort trempé :** vin avec beaucoup d'eau.

2. **ignorantus, ignoranta, ignorantum :** ignorant (adjectif latinisé au nominatif masculin, féminin et neutre).

3. **subtil :** fluide.

4. **gruau :** grain d'avoine.

5. **oublies :** sortes de gaufres roulées.

6. **conglutiner :** rendre plus épais.

ARGAN – Crever un œil ?

540 **TOINETTE** – Ne voyez-vous pas qu'il incommode[1] l'autre, et lui dérobe[2] sa nourriture ? Croyez-moi, faites-vous le crever au plus tôt, vous en verrez plus clair de l'œil gauche.

ARGAN – Cela n'est pas pressé.

TOINETTE – Adieu. Je suis fâché de vous quitter si tôt ; mais
545 il faut que je me trouve à une grande consultation qui se doit faire pour un homme qui mourut hier.

ARGAN – Pour un homme qui mourut hier ?

TOINETTE – Oui, pour aviser[3], et voir ce qu'il aurait fallu lui faire pour le guérir. Jusqu'au revoir.

550 **ARGAN** –Vous savez que les malades ne reconduisent[4] point.

BÉRALDE –Voilà un médecin vraiment qui paraît fort habile.

ARGAN – Oui, mais il va un peu bien vite.

BÉRALDE – Tous les grands médecins sont comme cela.

ARGAN – Me couper un bras, me crever un œil, afin que
555 l'autre se porte mieux ! J'aime bien mieux qu'il ne se porte pas si bien. La belle opération, de me rendre borgne et manchot !

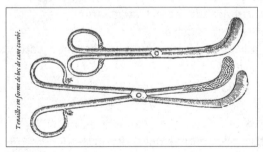

Tenailles en forme de bec de cane courbe.

Instruments de chirurgie (extraits des œuvres d'Ambroise Paré).

notes

1. *incommode :* gêne.
2. *dérobe :* vole.

3. *aviser :* réfléchir.

4. *reconduisent :* raccompagnent (Toinette est sortie).

Au fil du texte

QUE S'EST-IL PASSÉ ENTRE-TEMPS ?

1. Pourquoi M. Purgon est-il en colère à la scène 5 ?

2. Comment Argan réagit-il à cette colère ?

3. Précisez de quelle manière Toinette essaie de rendre crédible son stratagème aux scènes 7, 8 et 9 ?

accumulation : succession de mots ou d'expressions de même nature grammaticale.

AVEZ-VOUS BIEN LU ?

4. Sous quelle identité Toinette se présente-t-elle ?

5. Relevez toutes les exagérations dans son discours.

6. Quel est son but ?

7. L'a-t-elle atteint ?

ÉTUDIER LE COMIQUE

8. Parmi les procédés utilisés pour faire rire, citez quelques exemples illustrant l'exagération, l'accumulation*, la répétition.

9. Citez d'autres procédés mis en œuvre dans cette scène pour faire rire.

MISE EN SCÈNE

10. Proposez des didascalies pour les lignes 477 à 518 précisant les mouvements, les gestes et le ton des deux personnages.

11. Essayez de jouer cet extrait en tenant compte des didascalies proposées.

Étudier l'écriture dans la réplique de Toinette aux lignes 451 à 468

12. Combien de phrases cette réplique compte-t-elle ?

13. Étudiez leur composition.

14. Lisez-les ou récitez-les de façon expressive en respectant le rythme des périodes* et en donnant le ton qui vous semble le plus approprié.

À vos plumes !

15. À votre tour, rédigez un texte de trois phrases constituées de plusieurs périodes et utilisant l'anaphore* *(Je suis, Je dédaigne, Je veux)*, l'accumulation et la gradation*.

Étudier un thème : la satire de la médecine

16. Quelles nouvelles critiques Molière adresse-t-il aux médecins par cette scène ?

période : groupe d'éléments constitutifs d'une phrase complexe.

anaphore : répétition d'un même mot au début de plusieurs phrases.

gradation : accumulation selon une progression ascendante ou descendante.

Scène 11   Toinette, Argan, Béralde

Toinette – Allons, allons, je suis votre servante. Je n'ai pas envie de rire.

560   Argan – Qu'est-ce que c'est ?

Toinette – Votre médecin, ma foi ! qui me voulait tâter le pouls.

Argan – Voyez un peu, à l'âge de quatre-vingt-dix ans !

Béralde – Oh çà, mon frère, puisque voilà votre monsieur
565   Purgon brouillé avec vous, ne voulez-vous pas bien que je vous parle du parti qui s'offre pour ma nièce ?

Argan – Non, mon frère : je veux la mettre dans un couvent, puisqu'elle s'est opposée à mes volontés. Je vois bien qu'il y a quelque amourette là-dessous, et j'ai découvert
570   certaine entrevue secrète, qu'on ne sait pas que j'ai découverte.

Béralde – Eh bien ! mon frère, quand il y aurait quelque petite inclination, cela serait-il si criminel, et rien peut-il vous offenser, quand tout ne va qu'à des choses honnêtes
575   comme le mariage ?

Argan – Quoi qu'il en soit, mon frère, elle sera religieuse ; c'est une chose résolue.

Béralde – Vous voulez faire plaisir à quelqu'un.

Argan – Je vous entends : vous en revenez toujours là, et ma
580   femme vous tient au cœur.

Béralde – Hé bien ! oui, mon frère, puisqu'il faut parler à cœur ouvert, c'est votre femme que je veux dire ; et non plus que[1] l'entêtement de la médecine, je ne puis vous souffrir l'entêtement où vous êtes pour elle, et voir que vous donniez tête baissée dans tous les pièges qu'elle vous tend.

TOINETTE – Ah ! monsieur, ne parlez point de madame : c'est une femme sur laquelle il n'y a rien à dire, une femme sans artifice, et qui aime monsieur, qui l'aime… on ne peut pas dire cela.

ARGAN – Demandez-lui un peu les caresses qu'elle me fait.

TOINETTE – Cela est vrai.

ARGAN – L'inquiétude que lui donne ma maladie.

TOINETTE – Assurément.

ARGAN – Et les soins et les peines qu'elle prend autour de moi.

TOINETTE – Il est certain. *(À Béralde.)* Voulez-vous que je vous convainque, et vous fasse voir tout à l'heure comme madame aime monsieur ? *(À Argan.)* Monsieur, souffrez que je lui montre son bec jaune[2], et le tire d'erreur.

ARGAN – Comment ?

TOINETTE – Madame s'en va revenir. Mettez-vous tout étendu dans cette chaise, et contrefaites le mort. Vous verrez la douleur où elle sera, quand je lui dirai la nouvelle.

ARGAN – Je le veux bien.

TOINETTE – Oui ; mais ne la laissez pas longtemps dans le désespoir, car elle en pourrait bien mourir.

ARGAN – Laisse-moi faire.

notes

1. non plus que : pas plus que. *2. son bec jaune :* son erreur.

TOINETTE, *à Béralde* – Cachez-vous, vous, dans ce coin-là.

610 ARGAN – N'y a-t-il point quelque danger à contrefaire le mort ?

TOINETTE – Non, non : quel danger y aurait-il ? Étendez-vous là seulement. *(Bas.)* Il y aura plaisir à confondre votre frère. Voici madame. Tenez-vous bien.

Scène 12

BÉLINE, TOINETTE, ARGAN, BÉRALDE

615 TOINETTE *s'écrie* – Ah, mon Dieu ! Ah, malheur ! Quel étrange accident !

BÉLINE – Qu'est-ce, Toinette ?

TOINETTE – Ah, madame !

BÉLINE – Qu'y a-t-il ?

620 TOINETTE – Votre mari est mort.

BÉLINE – Mon mari est mort ?

TOINETTE – Hélas ! oui. Le pauvre défunt est trépassé.

BÉLINE – Assurément ?

TOINETTE – Assurément. Personne ne sait encore cet acci-
625 dent-là, et je me suis trouvée ici toute seule. Il vient de passer[1] entre mes bras. Tenez, le voilà de tout son long dans cette chaise.

BÉLINE – Le Ciel en soit loué ! Me voilà délivrée d'un grand fardeau. Que tu es sotte, Toinette, de t'affliger[2] de cette
630 mort !

notes

1. il vient de passer : il vient de mourir.

2. t'affliger : t'attrister, te peiner.

TOINETTE – Je pensais, madame, qu'il fallût pleurer.

BÉLINE – Va, va, cela n'en vaut pas la peine. Quelle perte est-ce que la sienne ? et de quoi servait-il sur la terre ? Un homme incommode à tout le monde, malpropre, dégoû-
635 tant, sans cesse un lavement ou une médecine dans le ventre, mouchant, toussant, crachant toujours, sans esprit, ennuyeux, de mauvaise humeur, fatiguant sans cesse les gens, et grondant jour et nuit servantes et valets.

TOINETTE – Voilà une belle oraison funèbre [1].

640 BÉLINE – Il faut, Toinette, que tu m'aides à exécuter mon dessein, et tu peux croire qu'en me servant ta récompense est sûre. Puisque, par un bonheur, personne n'est encore averti de la chose, portons-le dans son lit, et tenons cette mort cachée, jusqu'à ce que j'aie fait mon affaire. Il y a des
645 papiers, il y a de l'argent dont je me veux saisir, et il n'est pas juste que j'aie passé sans fruit [2] auprès de lui mes plus belles années. Viens, Toinette : prenons auparavant toutes ses clés.

ARGAN, *se levant brusquement* – Doucement.

650 BÉLINE, *surprise et épouvantée* – Aïe !

ARGAN – Oui, madame ma femme, c'est ainsi que vous m'aimez ?

TOINETTE – Ah, ah ! le défunt n'est pas mort.

ARGAN, *à Béline qui sort* – Je suis bien aise de voir votre ami-
655 tié, et d'avoir entendu le beau panégyrique [3] que vous avez

---

notes

1. oraison funèbre : discours religieux prononcé lors des obsèques.

2. sans fruit : sans profit, sans récompense.

3. panégyrique : discours destiné à faire l'éloge de quelqu'un.

fait de moi. Voilà un avis au lecteur[1] qui me rendra sage à l'avenir, et qui m'empêchera de faire bien des choses.

BÉRALDE, *sortant de l'endroit où il s'est caché* – Hé bien, mon frère, vous le voyez.

660 TOINETTE – Par ma foi ! je n'aurais jamais cru cela. Mais j'entends votre fille : remettez-vous comme vous étiez, et voyons de quelle manière elle recevra votre mort. C'est une chose qu'il n'est pas mauvais d'éprouver[2] ; et puisque vous êtes en train, vous connaîtrez par là les sentiments que 665 votre famille a pour vous.

Scène 13

ANGÉLIQUE, ARGAN, TOINETTE, BÉRALDE

TOINETTE *s'écrit* – Ô Ciel ! ah, fâcheuse aventure ! Malheureuse journée !

ANGÉLIQUE – Qu'as-tu, Toinette, et de quoi pleures-tu ?

TOINETTE – Hélas ! j'ai de tristes nouvelles à vous donner.

670 ANGÉLIQUE – Hé quoi ?

TOINETTE – Votre père est mort.

ANGÉLIQUE – Mon père est mort, Toinette ?

TOINETTE – Oui ; vous le voyez là. Il vient de mourir tout à l'heure d'une faiblesse qui lui a pris.

675 ANGÉLIQUE – Ô Ciel ! quelle infortune ! quelle atteinte cruelle ! Hélas ! faut-il que je perde mon père, la seule

notes

1. un avis au lecteur : un avertissement.

2. éprouver : mettre à l'épreuve.

chose qui me restait au monde ? et qu'encore, pour un surcroît[1] de désespoir, je le perde dans un moment où il était
irrité contre moi ? Que deviendrai-je, malheureuse, et
680   quelle consolation trouver après une si grande perte ?

Scène 14
CLÉANTE, ANGÉLIQUE, ARGAN,
TOINETTE, BÉRALDE

CLÉANTE – Qu'avez-vous donc, belle Angélique ? et quel
malheur pleurez-vous ?

ANGÉLIQUE – Hélas ! je pleure tout ce que dans ma vie je
pouvais perdre de plus cher et de plus précieux : je pleure
685   la mort de mon père.

CLÉANTE – Ô Ciel ! quel accident ! quel coup inopiné[2]!
Hélas ! après la demande que j'avais conjuré[3] votre oncle
de lui faire pour moi, je venais me présenter à lui, et tâcher
par mes respects et par mes prières de disposer son cœur à
690   vous accorder à mes vœux.

ANGÉLIQUE – Ah ! Cléante, ne parlons plus de rien. Laissons
là toutes les pensées du mariage. Après la perte de mon
père, je ne veux plus être du monde, et j'y renonce pour
jamais. Oui, mon père, si j'ai résisté tantôt à vos volontés,
695   je veux suivre du moins une de vos intentions, et réparer
par là le chagrin que je m'accuse de vous avoir donné.
Souffrez, mon père, que je vous en donne ici ma parole, et
que je vous embrasse pour vous témoigner mon ressentiment[4].

notes

1. un surcroît :
un supplément,
un accroissement.

2. inopiné : imprévu.
3. conjuré : supplié.

4. ressentiment :
reconnaissance.

700 **ARGAN** *se lève* – Ah, ma fille !

ANGÉLIQUE, *épouvantée* – Aïe !

ARGAN – Viens. N'aie point de peur, je ne suis pas mort. Va, tu es mon vrai sang, ma véritable fille, et je suis ravi d'avoir vu ton bon naturel.

705 **ANGÉLIQUE** – Ah ! quelle surprise agréable, mon père ! Puisque par un bonheur extrême le Ciel vous redonne à mes vœux, souffrez qu'ici je me jette à vos pieds pour vous supplier d'une chose. Si vous n'êtes pas favorable au penchant de mon cœur, si vous me refusez Cléante pour 710 époux, je vous conjure au moins de ne me point forcer d'en épouser un autre. C'est toute la grâce que je vous demande.

CLÉANTE *se jette à genoux* – Eh ! monsieur, laissez-vous toucher à ses prières et aux miennes, et ne vous montrez point 715 contraire aux mutuels empressements[1] d'une si belle inclination.

BÉRALDE – Mon frère, pouvez-vous tenir là contre ?

TOINETTE – Monsieur, serez-vous insensible à tant d'amour ?

ARGAN – Qu'il se fasse médecin, je consens au mariage. Oui, 720 faites-vous médecin, je vous donne ma fille.

CLÉANTE – Très volontiers, monsieur : s'il ne tient qu'à cela pour être votre gendre, je me ferai médecin, apothicaire même, si vous voulez. Ce n'est pas une affaire que cela, et je ferais bien d'autres choses pour obtenir la belle 725 Angélique.

note

1. mutuels empressements : marques d'affection réciproques.

BÉRALDE – Mais, mon frère, il me vient une pensée : faites-vous médecin vous-même. La commodité sera encore plus grande, d'avoir en vous tout ce qu'il vous faut.

TOINETTE – Cela est vrai. Voilà le vrai moyen de vous guérir
730   bientôt ; et il n'y a point de maladie si osée, que de se jouer
à[1] la personne d'un médecin.

ARGAN – Je pense, mon frère, que vous vous moquez de moi : est-ce que je suis en âge d'étudier ?

BÉRALDE – Bon, étudier ! Vous êtes assez savant ; et il y en a
735   beaucoup parmi eux qui ne sont pas plus habiles que vous.

ARGAN – Mais il faut savoir parler latin, connaître les maladies, et les remèdes qu'il y faut faire.

BÉRALDE – En recevant la robe et le bonnet de médecin, vous apprendrez tout cela, et vous serez après plus habile
740   que vous ne voudrez.

ARGAN – Quoi ? l'on sait discourir sur les maladies quand on a cet habit-là ?

BÉRALDE – Oui. L'on n'a qu'à parler avec une robe et un bonnet, tout galimatias[2] devient savant, et toute sottise
745   devient raison.

TOINETTE – Tenez, monsieur, quand il n'y aurait que votre barbe, c'est déjà beaucoup, et la barbe fait plus de la moitié d'un médecin.

CLÉANTE – En tout cas, je suis prêt à tout.

750 BÉRALDE – Voulez-vous que l'affaire se fasse tout à l'heure ?

ARGAN – Comment tout à l'heure ?

BÉRALDE – Oui, et dans votre maison.

notes

1. de se jouer à : d'affronter, de se frotter.

2. galimatias : paroles confuses.

ARGAN – Dans ma maison ?

BÉRALDE – Oui. Je connais une Faculté de mes amies, qui
755   viendra tout à l'heure en faire la cérémonie dans votre
salle. Cela ne vous coûtera rien.

ARGAN – Mais, moi, que dire, que répondre ?

BÉRALDE – On vous instruira en deux mots, et l'on vous
donnera par écrit ce que vous devez dire. Allez-vous-en
760   vous mettre en habit décent, je vais les envoyer quérir[1].

ARGAN – Allons, voyons cela. *(Il sort.)*

CLÉANTE – Que voulez-vous dire, et qu'entendez-vous avec
cette Faculté de vos amies… ?

TOINETTE – Quel est donc votre dessein ?

765 BÉRALDE – De nous divertir un peu ce soir. Les comédiens
ont fait un petit intermède[2] de la réception d'un médecin,
avec des danses et de la musique ; je veux que nous en pre-
nions ensemble le divertissement, et que mon frère y fasse
le premier personnage.

770 ANGÉLIQUE – Mais, mon oncle, il me semble que vous vous
jouez[3] un peu beaucoup de mon père.

BÉRALDE – Mais, ma nièce, ce n'est pas tant le jouer, que s'accommoder à ses fantaisies. Tout ceci n'est qu'entre nous.
Nous y pouvons aussi prendre chacun un personnage, et
775   nous donner ainsi la comédie les uns aux autres. Le carna-
val autorise cela. Allons vite préparer toutes choses.

CLÉANTE, *à Angélique* – Y consentez-vous ?

ANGÉLIQUE – Oui, puisque mon oncle nous conduit.

notes

1. envoyer quérir : envoyer chercher.   **2. intermède :** divertissement.   **3. vous vous jouez :** vous vous moquez.

Au fil du texte

QUE S'EST-IL PASSÉ ENTRE-TEMPS ?

1. Quel nouveau stratagème Toinette a-t-elle mis en place à la scène 11 ?

2. Comment Béline réagit-elle ?

3. Que découvre alors Argan à propos de Béline ?

AVEZ-VOUS BIEN LU ?

4. Angélique se trouve confrontée à la même situation que Béline. Quelle est sa réaction ?

5. À quelle condition Argan finit-il par accepter le mariage d'Angélique et de Cléante ?

6. Que propose alors Béralde pour Argan ?

ÉTUDIER UN THÈME : LA SATIRE DE LA MÉDECINE

7. Comment peut-on, selon Béralde, devenir médecin ?

8. Quelles nouvelles critiques sont ainsi faites à la médecine ?

ÉTUDIER LE DÉNOUEMENT*

9. Quel personnage est à l'origine de ce dénouement ?

10. Pour qui cette fin est-elle heureuse ?

11. Pour qui cette fin est-elle moins heureuse ?

12. Ce rapide dénouement vous paraît-il vraisemblable* ? Pourquoi ?

dénouement : fin de la pièce qui fixe le sort des personnages.

vraisemblable : crédible, réaliste.

Troisième intermède

C'est une cérémonie burlesque d'un homme qu'on fait médecin en récit, chant, et danse.

Entrée de ballet

Plusieurs tapissiers viennent préparer la salle et placer les bancs en cadence ; ensuite de quoi toute l'assemblée (composée de huit porte-seringues, six apothicaires, vingt-deux docteurs, celui qui se fait recevoir médecin, huit chirurgiens dansants, et deux chantants) entre, et prend ses places, selon son rang.

PRÆSES	LE PRÉSIDENT
Sçavantissimi doctores,	Très savants docteurs,
10 Medicinae professores,	Professeurs de médecine,
Qui hic assemblati estis,	Qui êtes ici assemblés,
Et vos, altri messiores,	Et vous autres, messieurs,
Sententiarum Facultatis	Des décisions de la
	[Faculté
Fideles executores,	Fidèles exécuteurs,
15 Chirurgiani et apothicari,	Chirurgiens et
	[apothicaires,
Atque tota compania aussi,	Et toute la compagnie
	[aussi,
Salus, honor, et argentum,	Salut, honneur, et argent,
Atque bonum appetitum.	Et bon appétit.
Non possum, docti confreri,	Je ne puis, doctes
	[confrères,
20 En moi satis admirari	En moi-même admirer
	[assez
Qualis bona inventio	Quelle bonne invention
Est medici professio,	Est la profession de
	[médecin,
Quam bella chosa est, et bene	Quelle belle chose c'est,
[trovata,	[et bien trouvée,
Medicina illa benedicta,	Que cette médecine
	[bénie,
25 Quae suo nomine solo,	Qui par son seul nom,
Surprenanti miraculo,	Miracle surprenant,
Depuis si longo tempore,	Depuis si longtemps,
Facit à gogo vivere	Fait vivre à gogo
Tant de gens omni genere.	Tant de gens de toute
	[espèce.

30   *Per totam terram videmus*   Par toute la terre nous
                                                   [voyons

    Grandam vogam ubi sumus,   La grande vogue où nous
                                                   [sommes,

    Et quod grandes et petiti   Et que les grands et les
                                                   [petits

    Sunt de nobis infatuti   Sont de nous entichés.
    Totus mundus, currens ad   Le monde entier,
                 [nostros remedios,   [accourant à nos remèdes,

35   *Nos regardat sicut deos ;*   Nous regarde comme des
                                                   [dieux ;

    Et nostris ordonnanciis   Et à nos ordonnances
    Principes et reges soumissos   Nous voyons soumis
                           [videtis.   [princes et rois.

    Donque il est nostrae   Donc il est de notre
                               [sapientiae,   [sagesse,

    Boni sensus atque   De notre bon sens et
                             [prudentiae,   [prévoyance,

40   *De fortement travaillare*   De travailler fortement
    A nos bene conservare   À nous bien conserver
    In tali credito, voga, et   En tel crédit, telle vogue,
                               [honore,   [et tel honneur,

    Et prandere gardam à non   Et de prendre garde à ne
                               [recevere   [recevoir

    In nostro docto corpore   Dans notre docte
                                                 [corporation[1]

45   *Quam personas capabiles,*   Que des personnes
                                                   [capables,

note

1. corporation : communauté de personnes qui exercent le même métier.

Et totas dignas ramplire	Et tout à fait dignes de [remplir
Has plaças honorabiles.	Ces places honorables.

C'est pour cela que nunc
      [convocati estis :
	C'est pour cela
	[qu'aujourd'hui vous avez
	        [été convoqués :

Et credo quod trovabitis	Et je crois que vous [trouverez
50 *Dignam matieram medici*	Une digne matière de [médecin
In sçavanti homine que voici,	Dans le savant homme [que voici,
Lequel, in chosis omnibus, *Dono ad interrogandum,*	Lequel, en toutes choses, Je vous donne à [interroger,
Et à fond examinandum 55 *Vostris capacitatibus.*	Et examiner à fond Par vos capacités.

PRIMUS DOCTOR	**LE PREMIER DOCTEUR**

Si mihi licenciam dat
      [dominus praeses,
	Si m'en donnent
	  [permission le Seigneur
	        [Président,

Et tanti docti doctores,	Et tant de doctes [docteurs,
Et assistantes illustres, *Très sçavanti bacheliero,* 60 *Quem estimo et honoro,*	Et les illustres assistants, Au très savant bachelier[1], Que j'estime et honore,

---

note

1. bachelier : celui qui soutenait une thèse après trois années d'études.

Domandabo causam et	Je demanderai la cause et
[rationem quare	[la raison pour lesquelles
Opium facit dormire.	L'opium fait dormir.

BACHELIERUS

LE BACHELIER

Mihi a docto doctore	Par le docte docteur
Domandatur causam et	Il m'est demandé la cause
[rationem quare	[et la raison pour
	[lesquelles

65
Opium facit dormire :	L'opium fait dormir :
À quoi respondeo,	À quoi je réponds,
Quia est in eo	Parce qu'il est en lui
Virtus dormitiva,	Une vertu dormitive,
Cujus est natura	Dont la nature

70
Sensus assoupire.	Est d'assoupir les sens.

CHORUS

LE CHŒUR

Bene, bene, bene, bene	Bien, bien, bien, bien
[respondere :	[répondu :
Dignus, dignus est entrare	Digne, il est digne
	[d'entrer
In nostro docto corpore.	Dans notre docte
	[corporation.

SECUNDUS DOCTOR

LE SECOND DOCTEUR

Cum permissione domini	Avec la permission du
[praesidis,	[Seigneur Président,

75
Doctissimae Facultatis,	De la très docte Faculté,
Et totius his nostris actis	Et de toute la compagnie
Companiae assistantis,	Qui assiste à nos actes,
Domandabo tibi, docte	Je te demanderai, docte
[bacheliere,	[bachelier,

Quae sunt remedia	Quels sont les remèdes
80 *Quae in maladia*	Que dans la maladie
Ditte hydropisia	Dite hydropisie
Convenit facere.	Il convient d'appliquer.

BACHELIERUS
Clysterium donare,
Postea seignare,
85 *Ensuitta purgare.*

LE BACHELIER
Donner le clystère,
Puis saigner,
Ensuite purger.

CHORUS
Bene, bene, bene, bene
　　　　　[respondere :
Dignus, dignus est entrare

In nostro docto corpore.

LE CHŒUR
Bien, bien, bien, bien
　　　　　[répondu :
Digne, il est digne
　　　　　　　[d'entrer
Dans notre docte
　　　　　　　[corporation.

TERTIUS DOCTOR
Si bonum semblatur domino
　　　　　　　[praesidi,
90 *Doctissimae Facultati,*
Et companiae praesenti,

Domandabo tibi, docte
　　　　　　　[bacheliere,
Quae remedia eticis,

Pulmonicis, atque asmaticis,

LE TROISIÈME DOCTEUR
S'il semble bon au
　　　　　[Seigneur Président,
À la très docte Faculté,
Et à la compagnie
　　　　　　　[présente,
Je te demanderai, docte
　　　　　　　[bachelier,
Quels remèdes aux
　　　　　　　[étiques[1],
Aux pulmoniques[2], et aux
　　　　　　　[asthmatiques,

---

notes

1. étiques : très maigres.　　**2. pulmoniques :** malades qui souffrent des poumons.

95 *Trovas à propos facere.*

Tu trouves à propos de
[donner.

BACHELIERUS
Clysterium donare,
Postea seignare,
Ensuitta purgare.

LE BACHELIER
Donner le clystère,
Puis saigner,
Ensuite purger.

CHORUS
Bene, bene, bene, bene
[*respondere :*
100 *Dignus, dignus est entrare*

In nostro docto corpore.

LE CHŒUR
Bien, bien, bien, bien
[répondu :
Digne, il est digne
[d'entrer
Dans notre docte
[corporation.

QUARTUS DOCTOR
Super illas maladias
Doctus bachelierus dixit
[*maravillas,*
Mais si non ennuyo
[*dominum praesidem,*
105 *Doctissimam Facultatem,*
Et totam honorabilem
Companiam ecoutantem,
Faciam illi unam
[*quaestionem.*
De hiero maladus unus
110 *Tombavit in meas manus :*
Habet grandam fievram cum
[*redoublamentis,*
Grandam dolorem capitis,

LE QUATRIÈME DOCTEUR
Sur toutes ces maladies
Le docte bachelier a dit
[des merveilles,
Mais si je n'ennuie pas le
[Seigneur Président,
La très docte Faculté,
Et toute l'honorable
Compagnie qui écoute,
Je lui ferai une seule
[question.
Hier un malade
Tomba entre mes mains :
Il a une grande fièvre avec
[des redoublements,
Une grande douleur de
[tête,

Et grandum malum au costé,	Et un grand mal au côté,
Cum granda difficultate	Avec une grande difficulté
115 *Et pena de respirare :*	Et peine à respirer :
Veillas mihi dire,	Veux-tu me dire,
Docte bacheliere,	Docte bachelier,
Quid illi facere ?	Ce qu'il lui faut faire ?

BACHELIERUS
Clysterium donare,
120 *Postea seignare,*
Ensuitta purgare.

LE BACHELIER
Donner le clystère,
Puis saigner,
Ensuite purger.

QUINTUS DOCTOR
Mais si maladia
Opiniatria
Non vult se garire,
125 *Quid illi facere ?*

LE CINQUIÈME DOCTEUR
Mais si la maladie
Opiniâtre[1]
Ne veut pas guérir,
Que lui faire ?

BACHELIERUS
Clysterium donare,
Postea seignare,
Ensuitta purgare.

LE BACHELIER
Donner le clystère,
Puis saigner,
Ensuite purger.

CHORUS
Bene, bene, bene, bene
          [respondere :
130 *Dignus, dignus est entrare*

In nostro docto corpore.

LE CHŒUR
Bien, bien, bien, bien
          [répondu :
Digne, il est digne
          [d'entrer
Dans notre docte
          [corporation.

note
1. opiniâtre : têtue, obstinée.

PRÆSES
Juras gardare statuta

Per Facultatem praescripta
Cum sensu et jugeamento ?

BACHELIERUS
135 *Juro.*

PRÆSES
Essere, in omnibus
Consultationibus,
Ancieni aviso,
Aut bono,
140 *Aut mauvaiso ?*

BACHELIERUS
Juro.

PRÆSES
De non jamais te servire
De remediis aucunis,
Quam de ceux seulement
    [doctae Facultatis,
145 *Maladus dût-il crevare,*
Et mori de suo malo ?

BACHELIERUS
Juro.

PRÆSES
Ego, cum isto boneto
Venerabili et docto,

LE PRÉSIDENT
Tu jures d'observer les
                    [statuts
Prescrits par la Faculté
Avec sens et jugement ?

LE BACHELIER
Je jure.

LE PRÉSIDENT
D'être, dans toutes
Les consultations,
De l'avis des anciens,
Qu'il soit bon,
Ou mauvais ?

LE BACHELIER
Je jure.

LE PRÉSIDENT
De ne jamais te servir
D'aucun remède,
Que de ceux seulement
        [de la docte Faculté,
Le malade dût-il crever,
Et mourir de son mal ?

LE BACHELIER
Je jure.

LE PRÉSIDENT
Moi, avec ce bonnet
Vénérable et docte,

150 Dono tibi et concedo	Je te donne et t'accorde
Virtutem et puissanciam	La vertu et la puissance
Medicandi,	De médiciner,
Purgandi,	De purger,
Seignandi,	De saigner,
155 Perçandi,	De percer,
Taillandi,	De tailler,
Coupandi,	De couper,
Et occidendi	Et de tuer
Impune per totam terram.	Impunément par toute la [terre.

Entrée de ballet

160 Tous les Chirurgiens et Apothicaires viennent lui faire la révérence en cadence.

BACHELIERUS	LE BACHELIER
Grandes doctores doctrinae	Grands docteurs de la [doctrine
De la rhubarbe et du séné,	De la rhubarbe et du [séné[1],
Ce serait sans douta à moi [chosa folla,	Ce serait sans doute à moi [chose folle,
165 Inepta et ridicula,	Inepte[2] et ridicule,
Si j'alloibam m'engageare	Si j'allais m'engager
Vobis louangeas donare,	À vous donner des [louanges,

notes

1. séné : arbrisseau dont les gousses produisent une drogue laxative.

2. inepte : absurde.

Et entreprenoibam adjoutare	Et si j'entreprenais
	[d'ajouter
Des lumieras au soleillo,	Des lumières au soleil,
170 *Et des etoilas au cielo,*	Et des étoiles au ciel,
Des ondas à l'Oceano,	Des ondes à l'Océan,
Et des rosas au printanno.	Et des roses au printemps.
Agreate qu'avec uno moto,	Agréez que d'un seul
	[mouvement,
Pro toto remercimento,	Pour tout remerciement,
175 *Rendam gratiam corpori tam*	Je rende grâce à une
[docto.	[corporation si docte.
Vobis, vobis debeo	C'est à vous, à vous que je
	[dois
Bien plus qu'à naturae et	Bien plus qu'à la nature et
[qu'à patri meo :	[à mon père :
Natura et pater meus	La nature et mon père
Hominem me habent	M'ont fait homme ;
[factum ;	
180 *Mais vos me, ce qui est bien*	Mais vous, ce qui est
[plus,	[bien plus,
Avetis factum medicum,	M'avez fait médecin,
Honor, favor, et gratia	Honneur, faveur, et
	[grâce
Qui, in hoc corde que voilà,	Qui, dans le cœur que
	[voilà,
Imprimant ressentimenta	Impriment des sentiments
185 *Qui dureront in secula.*	Qui dureront dans les
	[siècles.

CHORUS	**LE CHŒUR**
Vivat, vivat, vivat, vivat, cent	Qu'il vive, qu'il vive, qu'il
[fois vivat,	[vive, cent fois qu'il vive,

Novus doctor, qui tam bene	Le nouveau docteur, qui
[parlat !	[parle si bien !
Mille, mille annis et manget	Pendant mille, mille ans,
[et bibat,	[qu'il mange et qu'il
	[boive,
Et seignet et tuat !	Qu'il saigne et qu'il tue !

Entrée de ballet

190 Tous les Chirurgiens et les Apothicaires dansent au son des instruments et des voix, et des battements de mains, et des mortiers[1] d'apothicaires.

CHIRURGUS
Puisse-t-il voir doctas
Suas ordonnancias
195 *Omnium chirurgorum*
Et apothiquarum
Remplire boutiquas !

LE CHIRURGIEN
Puisse-t-il voir ses doctes
Ordonnances
De tous les chirurgiens
Et apothicaires
Remplir les officines[2] !

CHORUS
Vivat, vivat, vivat, vivat, cent
[fois vivat,
Novus doctor, qui tam bene
[parlat !

LE CHŒUR
Qu'il vive, qu'il vive, qu'il
[vive, cent fois qu'il vive,
Le nouveau docteur, qui
[parle si bien !

notes

1. mortier : récipient destiné à broyer certaines substances.   **2. officines :** boutiques, ateliers, laboratoires.

200 *Mille, mille annis et manget*
          [et bibat,

     Et seignet et tuat !

Pendant mille, mille ans,
          [qu'il mange et qu'il
                    [boive,
Qu'il saigne et qu'il tue !

CHIRURGUS
Puissent toti anni
Lui essere boni
Et favorabiles,
205 *Et n'habere jamais*
Quam pestas, verolas,

Fievras, pluresias,
Fluxus de sang, et
          [dyssenterias !

LE CHIRURGIEN
Puissent toutes les années
Lui être bonnes
Et favorables,
Et n'avoir jamais
Que des pestes, des
                    [véroles,
Des fièvres, des pleurésies,
Des flux de sang et des
                    [dysenteries !

CHORUS
Vivat, vivat, vivat, vivat, cent
          [fois vivat,
210 *Novus doctor, qui tam bene*
          [parlat !
Mille, mille annis et manget
          [et bibat,

Et seignet et tuat !

LE CHŒUR
Qu'il vive, qu'il vive, qu'il
          [vive, cent fois qu'il vive,
Le nouveau docteur, qui
                    [parle si bien !
Pendant mille, mille ans,
          [qu'il mange et qu'il
                    [boive,
Qu'il saigne et qu'il tue !

Dernière entrée de ballet

Des Médecins, des Chirurgiens et des Apothicaires, qui sor-
tent tous, selon leur rang, en cérémonie, comme ils sont
215 entrés.

Au fil du texte

LIRE L'IMAGE

1. Qui est le personnage au centre de la scène ?
Décrivez-le.

2. À quel moment de l'intermède la photographie
correspond-elle ?

3. Énumérez les éléments qui évoquent une
cérémonie.

Mise en scène de J. Le Poulain (1983).

Répliques	Qui parle ?	À qui s'adresse-t-il ?	De qui (ou de quoi) parle-t-il ?	À quel moment de l'intrigue ?
1				
2				
3				
4				
5				
6				
7				
8				
9				
10				

1. Lisez attentivement les répliques suivantes pour compléter le tableau ci-contre.

Réplique n° 1 :

« Je t'avoue que je ne saurais me lasser de te parler de lui et que mon cœur profite avec chaleur de tous les moments de s'ouvrir à toi. Mais dis-moi, condamnes-tu, Toinette, les sentiments que j'ai pour lui ? »

Réplique n° 2 :

« C'est pour moi que je lui donne ce médecin ; et une fille de bon naturel doit être ravie d'épouser ce qui est utile à la santé de son père. »

Réplique n° 3 :

« Vous pouvez encore contracter un grand nombre d'obligations, non suspectes, au profit de divers créanciers, qui prêteront leur nom à votre femme, et entre les mains de laquelle ils mettront leur déclaration que ce qu'ils en ont fait n'a été que pour lui faire plaisir. »

Réplique n° 4 :

« Et comme les naturalistes remarquent que la fleur nommée héliotrope tourne sans cesse vers cet astre du jour, aussi mon cœur, dores-en-avant, tournera-t-il toujours vers les astres resplendissants de vos yeux adorables, aussi que vers son pôle unique. »

Réplique n° 5 :

« Là, là, mon papa, ne pleurez point tant, je ne suis pas morte tout à fait. »

Réplique n° 6 :

« C'est notre inquiétude, c'est notre impatience qui gâte tout, et presque tous les hommes meurent de leurs remèdes, et non pas de leurs maladies. »

Réplique n° 7 :

« J'ai à vous dire que je vous abandonne à votre mauvaise constitution, à l'intempérie de vos entrailles, à la corruption de votre sang, à l'âcreté de votre bile et à la féculence de vos humeurs. »

Réplique n° 8 :

« Ah ! ah ! ah ! ah ! ah ! j'en ai quatre-vingt-dix. »

Réplique n° 9 :

« Quelle perte est-ce que la sienne ? et de quoi servait-il sur la terre ? Un homme incommode à tout le monde, malpropre, dégoûtant, sans cesse un lavement ou une médecine dans le ventre, mouchant, toussant, crachant toujours, sans esprit, ennuyeux, de mauvaise humeur, fatiguant sans cesse les gens, et grondant jour et nuit servantes et valets. »

Réplique n° 10 :

« Qu'avez-vous donc, belle Angélique ? et quel malheur pleurez-vous ? »

2. Attribuez l'une des expressions suivantes à chacun des dix personnages que vous avez cités dans le tableau :

servante dévouée - petite fille malicieuse - oncle bienveillant - père hypocondriaque et égoïste - belle-mère cupide - prétendant maladroit et benêt - médecin incompétent - jeune fille amoureuse et sage - amoureux transi - notaire escroc.

3. Classez ces personnages selon d'une part leur bonté et leur sincérité, d'autre part leur égoïsme et leur hypocrisie.

4. Angélique entrevoit son avenir selon trois possibilités :
a) épouser Cléante ;
b) épouser Thomas Diafoirus ;
c) entrer au couvent.
Rappelez qui, et pour quelle raison, est à l'origine de ces trois éventualités. Dites ensuite ce qu'il en est advenu.

5. Définissez le terme *quiproquo* et illustrez cette définition en racontant les circonstances de celui qui a eu lieu entre Argan et Angélique.

6. Citez deux stratagèmes imaginés par Toinette en précisant quel en était l'enjeu.

7. Quels types de divertissements s'ajoutent à la pièce au début et après chacun des trois actes ?

8. Quelles sont les principales critiques de Molière à la médecine et aux médecins ?

9. Parmi ces situations, cochez celles qui correspondent au *Malade imaginaire*.
a) Un personnage est enfermé dans un sac et est roué de coups sur scène. □
b) Pour connaître les véritables pensées de son entourage un personnage feint d'être mort et soudain « ressuscite ». □

c) Un personnage répète de nombreuses fois :
« *Que diable allait-il faire dans cette galère ?* » ☐
d) Une servante se déguise en médecin. ☐
e) Pour une marquise, un personnage
rédige un billet galant dont voici l'une
des versions : « *Vos yeux beaux d'amour
me font, belle marquise, mourir.* » ☐
f) Un personnage répète au cours d'une
scène : « *Le poumon…, le poumon vous dis-je.* » ☐

10. Mettez les six situations de la question précédente en relation avec l'un des procédés comiques suivants :

a) ☐ *Comique de situation*
b) ☐ *Comique de mots*
c) ☐ *Comique de geste*
d) ☐ *Comique de répétition*
e) ☐ *Comique de caractère*
f) ☐ *Comique de caricature*

11. Plus difficile : sauriez-vous dire à quelles autres pièces de Molière correspondent les situations de la question 9 que vous n'avez pas retrouvées dans le *Malade imaginaire* ?

12. Quels sont les aspects du *Malade imaginaire* que vous avez plutôt aimés ? Quels sont ceux que vous avez plutôt moins aimés ? Pourquoi ?

Dossier
Bibliocollège

Structure de la pièce : présence des personnages et longueur des scènes

Acte I et Acte II

Scènes	Nb de lignes	Argan	Toinette	Angélique	Béline	Béralde	Cléante	Louison	Les Diafoirus	M. Purgon	M. Fleurant	M. Bonnefoy
Prologue* : Bergers, Bergères, divinités.												
1*	71	●										
2	54	●	●									
3	7	●	●	●								
4	74		●	●								
5*	207	●	●	●								
6	91	●	●	●	●							
7*	94	●			●							●
8	28		●	●								
Premier intermède* : Polichinelle, une vieille, les archers.												
1	22		●				●					
2	53	●	●				●					
3	21	●		●			●					
4	22	●	●	●			●					
5*	318	●	●	●			●		●			
6*	166	●	●	●	●				●			
7	10	●		●								
8*	106	●								●		
9	23	●						●				

Acte III

Scènes	Nb de lignes	Argan	Toinette	Angélique	Béline	Béralde	Cléante	Louison	Les Diafoirus	M. Purgon	M. Fleurant	M. Bonnefoy
Deuxième intermède : Argan, Béralde, Égyptiens et Égyptiennes.												
1	9	●	●			●						
2	15		●			●						
3*	210	●				●						
4	35	●				●					●	
5	81	●	●			●				●		
6	31	●				●						
7	18	●	●			●						
8	15	●	●			●						
9	18	●	●			●						
10*	125	●	●			●						
11	57	●	●			●						
12	51	●	●			●	●					
13	15	●	●	●		●						
14*	98	●	●	●		●	●	●				
Troisième intermède* : médecins, chirurgiens, apothicaires et tous les personnages de la pièce.												

Les scènes signalées par un astérisque font l'objet d'un questionnaire dans votre ouvrage Bibliocollège.

Situation initiale			
Dans sa chambre, Argan vérifie les comptes de son apothicaire puis agite sa sonnette pour appeler sa servante (I, 1).			
Principaux nœuds de l'action	**Obstacles**	**Aides**	**Résultats**
1/ Angélique aime Cléante et souhaite l'épouser (I, 4, 8 - II, 5).	• Argan refuse. Il veut la marier à Thomas Diafoirus médecin (I, 5). • Béline préférerait qu'Angélique entre au couvent (I, 6). Par ailleurs, elle informe Argan de la présence de Cléante auprès d'Angélique (II, 7). • Thomas Diafoirus, avec l'aide de son père, essaie de s'imposer à Angélique (II, 5).	• Toinette soutient très activement sa maîtresse en tenant tête à Argan (I, 5) et en imaginant des stratagèmes (III, 2 - 7 - 8 - 10 - 11). • Béralde essaie d'ouvrir les yeux d'Argan sur l'hypocrisie des personnes qui l'entourent et lui conseille de répondre favorablement aux aspirations de sa fille (II, 9 - III, 3, 11). • Louison se montre très rusée lors de « l'interrogatoire » de son père (II, 8).	• Cléante ne renonce pas à Angélique en dépit des obstacles (II, 5). • Le mariage aura lieu puisque Cléante accepte de devenir médecin (III, 14).
2/ Béline intrigue pour bénéficier du testament d'Argan.	• Angélique, lucide, lui tient tête et dévoile les arrière-pensées de sa belle-mère (I, 6). • Béralde prend le parti d'Angélique (II, 9 - III, 3, 11). • Toinette, par un stratagème, réussit à confondre Béline (III, 12).	• Argan se révèle très naïf à l'égard de Béline (I, 6). • M. Bonnefoy met ses compétences de notaire au service de Béline (I, 7).	Béline, dont les véritables intentions ont été dévoilées par Toinette, disparaîtra de la scène et ne se verra pas son projet aboutir.
3/ Les médecins veulent profiter de la naïveté d'Argan pour exercer abusivement leur métier.	• Béralde essaie sans relâche de convaincre son frère de l'incompétence et de la cupidité des médecins (II, 9 - III, 3, 11). • Toinette s'interpose sans arrêt entre Argan et ses médecins au cours de scènes particulièrement animées (I, 2 - II, 5).	• Béline se montre très complaisante à l'égard d'Argan (I, 6, 7 - II, 7). • Les Diafoirus, M. Fleurant et M. Purgon exercent une véritable pression sur Argan (II, 5 - 6 - III, 4 - 5).	Les médecins semblent triompher puisque Cléante et Argan vont devenir médecins. Mais c'est pour mieux les ridiculiser que Molière choisit ce dénouement (III, 14 et troisième intermède).

Il était une fois Molière

UNE ENFANCE STUDIEUSE

Jean-Baptiste Poquelin naît à Paris le 15 janvier 1622. Son père est tapissier du roi dans le quartier des Halles. Sa mère, Marie Cressé, meurt alors qu'il n'a que dix ans.

Issu d'un milieu de bourgeoisie aisée, Jean-Baptiste peut entreprendre de solides études au collège de Clermont dans le quartier Latin où il étudie les lettres, la philosophie, le latin, les mathématiques, la physique mais aussi l'escrime et la danse.

Après des études de droit, il décide finalement, à 21 ans, non pas de reprendre la charge de son père mais de devenir comédien.

Dates clés

15 janvier 1622 : naissance de Jean-Baptiste Poquelin.

Mai 1632 : mort de sa mère.

1642 : Molière obtient sa licence en droit.

1643 : création de la troupe de l'Illustre-Théâtre.

1655 : représentation de *L'Étourdi* à Lyon.

1658 : arrivée à Paris.

DES DÉBUTS DIFFICILES

Il prend alors le nom de Molière et fonde la troupe de l'Illustre-Théâtre avec la famille de Madeleine Béjart à laquelle il est lié. N'ayant guère de succès à Paris et après une faillite (qui valut à Molière vingt-quatre heures de prison), la troupe entreprend, pour douze ans, une tournée de représentations en province. Cette tournée va permettre à Molière de s'aguerrir dans ses fonctions d'auteur, d'acteur et de chef de troupe.

ENFIN LE SUCCÈS !

Devenu acteur et auteur comique réputé après toutes ces années, Molière rejoint Paris où il va pouvoir jouer au Louvre, le 24 octobre 1658, devant le roi et la cour.

Il obtient de grands succès avec la farce du *Docteur amoureux*, puis avec *Les Précieuses ridicules* (1659), *Sganarelle* (1660). Molière peint les mœurs et les caractères en introduisant dans ses pièces les procédés de la farce.

En janvier 1662, Molière épouse Armande Béjart qui a vingt ans de moins que lui et dont il sera très jaloux. Il triomphe avec la représentation de *L'École des femmes*, obtient mille livres de pension de la part du roi qui accepte d'être le parrain de son premier fils en 1664.

Dates clés

1659 : immense succès des *Précieuses ridicules*.

1661 : la troupe s'installe au théâtre du Palais-Royal.

1662 : mariage avec Armande Béjart ; représentation de *L'École des femmes*.

1663 : querelle à propos de *L'École des femmes*.

1664 : *Tartuffe* interdit.

1669 : représentation de *Tartuffe*.

1672 : mort de Madeleine Béjart.

17 février 1673 : mort de Molière.

LE SOIR, LE ROI, ET LES PERSONNES DE LA COUR VONT A LA COMEDIE

LE COMBAT CONTRE LA « CABALE »

Molière s'attire des ennemis parmi les « victimes » de ses pièces (les marquis, par exemple ou les précieuses) et parmi ses rivaux (les acteurs de l'Hôtel de Bourgogne). Il leur répond dans *La Critique de l'École des femmes* et dans *L'Impromptu de Versailles*.

Devenu fournisseur des divertissements royaux, Molière se trouve confronté aux attaques de la Compagnie du Saint-Sacrement qui conduit le roi à interdire de jouer *Tartuffe* en public.

Dom Juan, qui met en scène un grand seigneur débauché, est arrêté à la quinzième représentation et ne sera publié qu'après la mort de l'auteur.

Néanmoins, toujours soutenu par Louis XIV, Molière devient, en 1665, chef de la « troupe du Roi ». Il joue alors une comédie-ballet, *L'Amour médecin*, qui met en scène une satire des médecins de la cour.

LES TRIOMPHES DE MOLIÈRE

Mais Molière tombe sérieusement malade. Il commence à cracher du sang et doit cesser toutes ses activités pendant plusieurs mois.

En dépit de ses problèmes de santé, Molière monte en 1666 *Le Misanthrope* et *Le Médecin malgré lui* ; puis en 1668 *Amphitryon*, *George Dandin* et *L'Avare*.

Le 5 février 1669, il peut enfin présenter avec un immense succès, mais après cinq ans de lutte, *Tartuffe ou l'Imposteur*.

Afin de répondre au goût de Louis XIV et de la cour pour les comédies, les ballets et la musique, Molière réalise, à l'occasion de fêtes, des divertissements qui sont des comédies-ballets dans lesquelles il introduit des procédés comiques relevant de la farce. Il s'agit de *Monsieur de Pourceaugnac* (1669), *Les Amants magnifiques* (1670), *Le Bourgeois gentilhomme* (1670) et *Les Fourberies de Scapin* (1671). En 1672, il présente *Les Femmes savantes* qui remporte un très grand succès.

UNE FIN DE VIE DIFFICILE

Molière connaît une fin de vie très difficile. Son père meurt en 1669, sa fidèle amie, Madeleine Béjart, en 1672. Il doit de plus faire face à des difficultés matérielles et à une certaine disgrâce dans la mesure où Louis XIV accorde à Lully le monopole de la musique et des ballets. Mais surtout, la maladie l'affaiblit de plus en plus. Malgré son état et en dépit des mises en garde de ses proches, Molière veut absolument poursuivre les représentations du *Malade imaginaire* mais à la quatrième, il est pris d'un malaise et meurt quelques heures plus tard chez lui, rue Richelieu.
En 1680, sept ans après sa mort, la troupe de Molière fusionne avec celle de l'Hôtel de Bourgogne et deviendra la Comédie-Française.

Tombeaux de Molière et de J. de La Fontaine au Père-Lachaise à Paris.

Aller au spectacle au XVIIᵉ siècle

Aller au spectacle au XVIIᵉ siècle, c'était le plus souvent assister à une représentation théâtrale qui pouvait revêtir des formes bien différentes.

DES SPECTACLES DE RUE

Sur les places des villes, vous étiez interpellé(e) par des bateleurs qui installaient des tréteaux et vous invitaient à assister, en plein air, à un spectacle de mime, de farce mais aussi de comédie ou de tragédie. Vous vous mêliez alors à un public populaire, souvent bruyant, issu de toutes les classes sociales. Les troupes itinérantes parcouraient la France, et parmi les plus célèbres, celle de Molière qui donna des représentations dans de nombreuses villes.

Les mots du spectacle

Bateleurs : personnes qui font des tours d'acrobatie, d'adresse, de force… sur les places publiques.

Tréteaux : estrades sur lesquelles les bateleurs font leur spectacle.

Mime : spectacle où les acteurs s'expriment uniquement par leurs gestes et leurs attitudes.

Troupes itinérantes : troupes qui vont de ville en ville pour donner leurs spectacles.

Des spectacles de salle

Dans les salles de théâtre, vous étiez debout sur le parterre réservé aux hommes qui se montraient turbulents mais ne payaient que 15 sous.

Ou alors, vous vous installiez dans les galeries ou dans les loges occupées, pour 20 sous, par un public plus distingué. De là, vous observiez la scène, plutôt petite, éclairée par des chandelles de cire fixées au mur et par des lustres que l'on montait au début du spectacle.

À partir de 1656, vous occupiez des sièges disposés de chaque côté de la scène et réservés aux spectateurs de marque qui aimaient être vus et manifestaient ostensiblement leur approbation ou leur réserve au sujet de la pièce à laquelle ils assistaient. Parmi les salles parisiennes, vous aviez le choix entre le Théâtre du Marais, celui des Italiens, la salle du Palais-Royal ou l'Hôtel de Bourgogne.

Une représentation à l'Hôtel de Bourgogne

« La salle de l'Hôtel de Bourgogne, en 1640 : sorte de hangar de jeu de paume aménagé et embelli pour des représentations.

La salle est un carré long ; on la voit en biais […].

Cette scène est encombrée, des deux côtés, le long des coulisses, par des banquettes. Le rideau est formé par deux tapisseries qui peuvent s'écarter. Au-dessus du manteau d'Arlequin, les armes royales. On descend de l'estrade dans la salle par de larges marches, la place des violons. Rampe de chandelles.

Deux rangs superposés de galeries latérales : le rang supérieur est divisé en loges. Pas de sièges au parterre,

Les mots du spectacle

Parterre : rez-de-chaussée d'une salle de théâtre où les spectateurs se tiennent debout.

Loges : compartiments aménagés comprenant plusieurs sièges.

qui est la scène même du théâtre ; au fond de ce parterre […] quelques bancs formant gradins et, sous un escalier qui monte vers des places supérieures et dont on ne voit que le départ, une sorte de buffet orné de petits lustres, de vases fleuris, de verres de cristal, d'assiettes de gâteaux, de flacons, etc.

Au fond, au milieu, sous la galerie de loges, l'entrée du théâtre. Grande porte qui s'entrebâille pour laisser passer les spectateurs. […]

Au lever du rideau, la salle est dans une demi-obscurité, vide encore. Les lustres sont baissés au milieu du parterre, attendant d'être allumés. »

(Texte d'Edmond Rostand en ouverture de *Cyrano de Bergerac*.)

Les mots du spectacle

Ballets : spectacles de danse.

À LA COUR DU ROI

Si vous étiez courtisan(e), vous étiez invité(e) aux grandes fêtes données à l'occasion d'un anniversaire, d'une victoire…

Et parmi toutes ces fêtes, vous n'auriez jamais oublié celle du 18 juillet 1668 qui célébra les premières victoires militaires de Louis XIV, achevées par le traité d'Aix-la-Chapelle. En une nuit, on a offert aux six cents invités de Versailles : un dîner somptueux, un bal, l'illumination du parc, un feu d'artifice, la décoration de la façade du château constituée des allégories de la puissance royale, et… une représentation d'une comédie de Molière : *George Dandin*.

Entre 1660 et 1674, le roi et la cour affectionnaient particulièrement les grandes fêtes, les ballets, la musique, la poésie de circonstance et les comédies-ballets qu'inventa l'auteur du *Malade imaginaire*.

DEMANDEZ LE PROGRAMME !

Voici les représentations auxquelles vous auriez pu assister l'année du *Malade imaginaire*…

Calendrier des spectacles de l'année 1673

Tite et Titus (anonyme)

Discours tragique de Le Gras à l'Hôtel de Bourgogne

Pyrame et Thisbé de Pradon à l'Hôtel de Bourgogne

Les Maris infidèles de Donneau de Visé au Palais-Royal

Mithridate de Racine à l'Hôtel de Bourgogne

Les Maris infidèles de Hauteroche à l'Hôtel de Bourgogne

Cudmus et Hermione de Quinault avec une musique de Lully au Jeu de paume du Bel-Air

Le Malade imaginaire de Molière avec une musique de Charpentier au Palais-Royal

L'Ambigu-comique ou la Didon lardée de Montfleury au Marais

Les Amours de Germanicus de Boursaul au Marais

Argélie d'Abeille à l'Hôtel de Bourgogne

Le Comédien poète de Montfleury au Guénégaud

Démarate de Boyer à l'Hôtel de Bourgogne

La Mort d'Achille de Thomas Corneille au Guénégaud

ET AUJOURD'HUI…

Le théâtre existe toujours et, pour changer un peu de la télévision et du cinéma, probablement avez-vous de temps en temps la curiosité de consulter les programmes des représentations théâtrales de votre région ? Et peut-être avez-vous la chance de pouvoir y assister ? À vous maintenant de vous exprimer sur les spectacles du XXe siècle et sur tous ceux à venir…

Le Malade imaginaire : une comédie-ballet

LES MULTIPLES FACETTES DES COMÉDIES DE MOLIÈRE

Auteur, acteur, metteur en scène, Molière a utilisé dans son œuvre toute la gamme des formes et des genres existants pour la comédie : depuis la farce la plus grotesque jusqu'à la comédie de caractères la plus élaborée, pour terminer par la comédie-ballet qui joue sur l'ensemble de ces registres.

C'est ainsi que l'on peut répertorier selon des dominantes les principales comédies de Molière.

- **La farce**
  - *La Jalousie du barbouillé*
  - *Le Docteur amoureux*
  - *Le Médecin volant*
  - *Les Précieuses ridicules*
  - *Le Médecin malgré lui*

- **La comédie en trois actes**
  - *L'École des maris*
  - *George Dandin*
  - *Les Fourberies de Scapin*

- **La tragi-comédie**
  - *Dom Garcie de Navarre*

- **La fantaisie mythologique**
  - *Amphitryon*

Armande Béjart dans La Princesse d'Élide.

- **Le divertissement de cour**
  La Princesse d'Élide
  Mélicerte
  La Pastorale comique
  Les Amants magnifiques
  Psyché (qui contribuera à la naissance de l'opéra français)

- **La comédie classique en cinq actes en vers ou en prose**
  L'École des femmes
  Tartuffe
  Dom Juan
  Le Misanthrope
  L'Avare
  Les Femmes savantes

- **La comédie-ballet**
  Monsieur de Pourceaugnac
  Le Bourgeois gentilhomme
  La Comtesse d'Escarbagnas
  Le Malade imaginaire

MOLIÈRE CRÉATEUR D'UN NOUVEAU GENRE DE SPECTACLE : LA COMÉDIE-BALLET

Pour répondre au goût du roi et de la cour, Molière propose un nouveau type de divertissement : la comédie-ballet. Ce genre de comédie reprend les thèmes, les mécanismes et dialogues utilisés dans les comédies antérieures mais il introduit de la musique, des chants et de la danse.

À retenir

La pastorale : comédie qui met en scène des bergers et qui évoque les mœurs champêtres.

L'opéra : œuvre mise en musique composée d'airs, de chœurs et de danses.

La comédie-ballet : comédie mêlée de musique, chants, danses et ballets.

Le Malade imaginaire : une comédie-ballet

• L'exemple du Malade imaginaire

Le Malade imaginaire est « une comédie mêlée de musique et de danses ». Elle est composée de trois actes et débute par un prologue. Chacun des trois actes est suivi d'un intermède.

La comédie elle-même reprend des thèmes habituels : amour contrarié, satire de la médecine, peinture de l'hypocrisie, de la cupidité, de l'égoïsme. Elle reprend également des procédés classiques : quiproquo, déguisements, stratagèmes, scènes burlesques qui relèvent de la farce.

À retenir

Prologue : partie de la pièce qui précède la comédie.

Intermède : divertissement entre les actes d'une pièce de théâtre.

Mise en scène de M. Maréchal (1993).

Le Malade imaginaire : une comédie-ballet

Mais il s'agit d'une comédie « mêlée » dans la mesure où sont insérés des chants, comme par exemple à la scène 5 de l'acte II où Angélique et Cléante expriment leurs sentiments. Cette chanson est qualifiée d'« *impertinent opéra* » par Argan (Acte II, l. 433).

D'autre part, le prologue est une églogue où les danses et la musique sont omniprésentes avec huit entrées de ballet. Les trois intermèdes jouent sur des registres très variés : sérénade de Polichinelle, Égyptiens vêtus en Mores, cérémonie avec des docteurs, chirurgiens et apothicaires. Brouillé avec Lully, Molière fit appel au compositeur Marc Antoine Charpentier (1636-1704) pour composer les musiques du *Malade imaginaire*.

Par la richesse et la diversité de la comédie-ballet, Molière confirme ses talents ; et bien que malade et hanté par la mort, il a su créer un climat de fêtes et de divertissement qui réussit à surprendre et à émouvoir son public.

Cette sorte d'opéra où le langage domine disparaîtra à la mort de Molière. Elle contribua à respecter le « devoir de la comédie » défini par Molière dans sa préface à *Tartuffe* (1669) :

> « *Le devoir de la comédie est de corriger les hommes en les divertissant.* »

À retenir

Églogue : poème pastoral ou champêtre.

Sérénade : concert donné la nuit sous les fenêtres de la femme aimée.

Tableau représentant les farceurs français et italiens au XVIIe. Tout à fait à gauche : Molière.

Groupement de textes :
Les comédies du quiproquo

Angélique, à la scène 5 de l'acte I (ligne 275) du *Malade imaginaire*, définit parfaitement le quiproquo :
« *C'est, mon père, que je connais que vous avez parlé d'une personne, et que j'ai entendu une autre.* »

Au cours de cette scène, Argan lui indique qu'il veut la marier et pense à Thomas Diafoirus. Angélique s'imagine qu'il s'agit de Cléante, le jeune homme dont elle est amoureuse. Elle se montre très obéissante et très respectueuse des volontés de son père jusqu'à ce qu'elle se rende compte de sa méprise. Son comportement change alors radicalement et elle devient beaucoup moins soumise à ce projet de mariage.

Le quiproquo est l'un des moteurs essentiels de la comédie. Il repose sur un malentendu et induit un effet le plus souvent comique à cause de la différence d'informations entre les personnages et les spectateurs.

En effet, dans cette scène du *Malade imaginaire*, le spectateur connaît les projets d'Argan et les sentiments d'Angélique. En revanche, Argan ignore les sentiments de sa fille et Angélique est loin de se douter du choix de son père. De cette situation naissent une attente pour le spectateur (comment et quand la méprise va-t-elle être levée ?) et des rires notamment au moment où les personnages se rendent compte de leur erreur. Le quiproquo ne repose pas seulement sur un malentendu à propos d'un personnage. Il peut s'agir également d'une confusion au sujet d'un mot auquel deux interlocuteurs donnent un sens différent.

L'ÉCOLE DES FEMMES

Après avoir fait élever Agnès dans un couvent et l'avoir cloîtrée dans sa maison jusqu'à l'âge de 17 ans, Arnolphe décide de l'épouser. Mais il apprend qu'elle a rencontré le jeune Horace, fils de son ami Oronte. Aussi, le jaloux Arnolphe veut-il en savoir davantage sur cette rencontre pendant laquelle les deux jeunes gens étaient seuls.

ACTE II, SCÈNE 5. ARNOLPHE, AGNÈS.

[…]

ARNOLPHE

[…]

Mais enfin apprenez qu'accepter des cassettes
Et de ces beaux blondins écouter les sornettes[1],
Que se laisser par eux, à force de langueur[2],
Baiser ainsi les mains et chatouiller le cœur,
Est un péché mortel des plus gros qu'il se fasse.

AGNÈS

Un péché, dites-vous ? Et la raison, de grâce ?

ARNOLPHE

La raison ? La raison est l'arrêt prononcé
Que par ces actions le Ciel est courroucé[3].

AGNÈS

Courroucé ! Mais pourquoi faut-il qu'il s'en courrouce ?
C'est une chose, hélas ! si plaisante et si douce !
J'admire quelle joie on goûte à tout cela,
Et je ne savais point encor ces choses-là.

ARNOLPHE

Oui, c'est un grand plaisir que toutes ces tendresses,
Ces propos si gentils et ces douces caresses ;
Mais il faut le goûter en toute honnêteté,
Et qu'en se mariant le crime en soit ôté.

AGNÈS

N'est-ce plus un péché lorsque l'on se marie ?

---

1. sornettes : paroles qui ne reposent sur rien, balivernes.   **2. langueur :** faiblesse due à l'amour.   **3. courroucé :** en colère.

ARNOLPHE
Non.

AGNÈS
                    Mariez-moi donc promptement[1], je vous prie.

ARNOLPHE
Si vous le souhaitez, je le souhaite aussi,
Et pour vous marier on me revoit ici.

AGNÈS
Est-il possible ?

ARNOLPHE
                    Oui.

AGNÈS
                              Que vous me ferez aise !

ARNOLPHE
Oui, je ne doute point que l'hymen[2] ne vous plaise.

AGNÈS
Vous nous voulez nous deux…

ARNOLPHE
                              Rien de plus assuré.

AGNÈS
Que, si cela se fait, je vous caresserai !

ARNOLPHE
Hé ! la chose sera de ma part réciproque.

AGNÈS
Je ne reconnais point, pour moi, quand on se moque.
Parlez-vous tout de bon ?

ARNOLPHE
                              Oui, vous le pourrez voir.

AGNÈS
Nous serons mariés ?

ARNOLPHE
                    Oui.

AGNÈS
                         Mais quand ?

---

1. promptement : rapidement.   **2. l'hymen :** le mariage.

ARNOLPHE

Dès ce soir.

AGNÈS, *riant*.

Dès ce soir ?

ARNOLPHE

Dès ce soir. Cela vous fait donc rire ?

AGNÈS

Oui.

ARNOLPHE

Vous voir bien contente est ce que je désire.

AGNÈS

Hélas ! que je vous ai de grande obligation,
Et qu'avec lui j'aurai de satisfaction !

ARNOLPHE

Avec qui ?

AGNÈS

Avec… là…

ARNOLPHE

Là… : là n'est pas mon compte.
À choisir un mari vous êtes un peu prompte.
C'est un autre en un mot, que je vous tiens tout prêt,
Et quant au monsieur, là, je prétends, s'il vous plaît,
Dût le mettre au tombeau le mal dont il vous berce,
Qu'avec lui désormais vous rompiez tout commerce ;
Que, venant au logis, pour votre compliment[1]
Vous lui fermiez au nez la porte honnêtement,
Et lui jetant, s'il heurte, un grès[2] par la fenêtre,
L'obligiez tout de bon à ne plus y paraître.
M'entendez-vous, Agnès ? Moi, caché dans un coin,
De votre procédé je serai le témoin.

AGNÈS

Las ! il est si bien fait ! C'est…

ARNOLPHE

Ah ! que de langage !

---

1. pour votre compliment : en guise de compliment.   **2. un grès :** un caillou.

Agnès

　　　　Je n'aurai pas le cœur...

Arnolphe

　　　　　　　　　　　Point de bruit davantage.
　　　　Montez là-haut.

Agnès

　　　　　　　　Mais quoi ! voulez-vous...

Arnolphe

　　　　　　　　　　　　　C'est assez.
　　　　Je suis maître, je parle : allez, obéissez.
　　　　　　L'École des femmes, acte II, scène 5, Molière (1662).

L'Avare

Valère est accusé injustement par Maître Jacques d'avoir volé la cassette d'Harpagon. Celui-ci l'interroge pour lui faire avouer « son crime ».

ACTE V, SCÈNE 3. Valère, Harpagon, le Commissaire, son Clerc, Maître Jacques.

Harpagon – Approche. Viens confesser l'action la plus noire, l'attentat le plus horrible qui jamais ait été commis.

Valère – Que voulez-vous, Monsieur ?

Harpagon – Comment, traître, tu ne rougis pas de ton crime ?

Valère – De quel crime voulez-vous donc parler ?

Harpagon – De quel crime je veux parler, infâme ! comme si tu ne savais pas ce que je veux dire ! C'est en vain que tu prétendrais de le déguiser[1] : l'affaire est découverte, et l'on vient de m'apprendre tout. Comment ! abuser ainsi de ma bonté et s'introduire exprès chez moi pour me trahir, pour me jouer un tour de cette nature !

Valère – Monsieur, puisqu'on vous a découvert tout, je ne veux point chercher de détours et vous nier la chose.

Maître Jacques, *à part* – Oh ! oh ! Aurais-je deviné sans y penser ?

---

1. tu prétendrais de le déguiser : tu chercherais à le déguiser.

VALÈRE – C'était de mon dessein[1] de vous en parler, et je voulais attendre pour cela des conjonctures[2] favorables ; mais, puisqu'il est ainsi, je vous conjure de ne vous point fâcher et de vouloir entendre mes raisons.

HARPAGON – Et quelles belles raisons peux-tu me donner, voleur infâme ?

VALÈRE – Ah ! Monsieur, je n'ai pas mérité ces noms. Il est vrai que j'ai commis une offense envers vous ; mais, après tout, ma faute est pardonnable.

HARPAGON – Comment pardonnable ? Un guet-apens, un assassinat de la sorte ?

VALÈRE – De grâce, ne vous mettez point en colère. Quand vous m'aurez ouï[3], vous verrez que le mal n'est pas si grand que vous le faites.

HARPAGON – Le mal n'est pas si grand que je le fais ! Quoi ! mon sang, mes entrailles, pendard !

VALÈRE – Votre sang, monsieur, n'est pas tombé dans de mauvaises mains. Je suis d'une condition à ne lui point faire de tort, et il n'y a rien dans tout ceci que je ne puisse bien réparer.

HARPAGON – C'est bien mon intention, et que tu me restitues[4] ce que tu m'as ravi.

VALÈRE – Votre honneur, Monsieur, sera pleinement satisfait.

HARPAGON – Il n'est pas question d'honneur là-dedans. Mais, dis-moi, qui t'a porté à cette action ?

VALÈRE – Hélas, me le demandez-vous ?

HARPAGON – Oui, vraiment, je te le demande.

VALÈRE – Un dieu qui porte les excuses de tout ce qu'il fait faire : l'Amour.

HARPAGON – L'Amour ?

VALÈRE – Oui.

HARPAGON – Bel amour, bel amour, ma foi ! L'amour de mes louis d'or !

VALÈRE – Non, Monsieur, ce ne sont point vos richesses qui m'ont tenté, ce n'est pas cela qui m'a ébloui, et je proteste de

---

1. de mon dessein : dans mes intentions.   **2. des conjonctures :** des circonstances.   **3. ouï :** entendu.

4. tu me restitues : tu me rendes.

ne prétendre rien à tous vos biens, pourvu que vous me laissiez celui que j'ai.

HARPAGON – Non ferai[1], de par tous les diables! Je ne te laisserai pas. Mais voyez quelle insolence de vouloir retenir le vol qu'il m'a fait!

VALÈRE – Appelez-vous cela un vol?

HARPAGON – Si je l'appelle un vol? un trésor comme celui-là!

VALÈRE – C'est un trésor, il est vrai, et le plus précieux que vous ayez sans doute ; mais ce ne sera pas le perdre que de me le laisser. Je vous le demande à genoux, ce trésor plein de charmes ; et, pour bien faire, il faut que vous me l'accordiez.

HARPAGON – Je n'en ferai rien. Qu'est-ce à dire cela?

VALÈRE – Nous nous sommes promis une foi mutuelle, et avons fait serment de ne nous point abandonner.

HARPAGON – Le serment est admirable, et la promesse plaisante!

VALÈRE – Oui, nous nous sommes engagés d'être l'un à l'autre à jamais.

HARPAGON – Je vous en empêcherai bien, je vous assure.

VALÈRE – Rien que la mort ne nous peut séparer.

HARPAGON – C'est être bien endiablé après mon argent.

VALÈRE – Je vous ai déjà dit, Monsieur, que ce n'était point l'intérêt qui m'avait poussé à faire ce que j'ai fait. Mon cœur n'a point agi par les ressorts que vous pensez, et un motif plus noble m'a inspiré cette résolution.

HARPAGON – Vous verrez que c'est par charité chrétienne qu'il veut avoir mon bien. Mais j'y donnerai bon ordre, et la justice, pendard effronté, me va faire raison de tout.

VALÈRE – Vous en userez comme vous voudrez, et me voilà prêt à souffrir toutes les violences qu'il vous plaira ; mais je vous prie de croire au moins que, s'il y a du mal, ce n'est que moi qu'il en faut accuser, et que votre fille en tout ceci n'est aucunement coupable.

HARPAGON – Je le crois bien, vraiment ; il serait fort étrange que ma fille eût trempé dans ce crime. Mais je veux ravoir mon affaire, et que tu me confesses en quel endroit tu me l'as enlevée.

---

1. non ferai : je n'en ferai rien.

VALÈRE – Moi ? Je ne l'ai point enlevée, et elle est encore chez vous.

HARPAGON, *à part* – Ô ma chère cassette ! (*Haut.*) Elle n'est point sortie de ma maison ?

VALÈRE – Non, Monsieur.

HARPAGON – Hé ! dis-moi donc un peu : tu n'y as point touché ?

VALÈRE – Moi, y toucher ! Ah ! vous lui faites tort, aussi bien qu'à moi ; et c'est d'une ardeur toute pure et respectueuse que j'ai brûlé pour elle.

HARPAGON, *à part* – Brûlé pour ma cassette !

VALÈRE – J'aimerais mieux mourir que de lui avoir fait paraître aucune pensée offensante : elle est trop sage et trop honnête pour cela.

HARPAGON, *à part* – Ma cassette trop honnête !

VALÈRE – Tous mes désirs se sont bornés à jouir de sa vue, et rien de criminel n'a profané¹ la passion que ses beaux yeux m'ont inspirée.

HARPAGON, *à part* – Les beaux yeux de ma cassette ! Il parle d'elle comme un amant d'une maîtresse.

VALÈRE – Dame Claude, Monsieur, sait la vérité de cette aventure, et elle vous peut rendre témoignage…

HARPAGON – Quoi ! ma servante est complice de l'affaire.

VALÈRE – Oui, Monsieur, elle a été témoin de notre engagement ; et c'est après avoir connu l'honnêteté de ma flamme qu'elle m'a aidé à persuader votre fille de me donner sa foi et recevoir la mienne.

HARPAGON, *à part* – Eh ! Est-ce que la peur de la justice le fait extravaguer² ? (*À Valère.*) Que nous brouilles-tu ici de ma fille ?

VALÈRE – Je dis, Monsieur, que j'ai eu toutes les peines du monde à faire consentir sa pudeur à ce que voulait mon amour.

HARPAGON – La pudeur de qui ?

VALÈRE – De votre fille ; et c'est seulement depuis hier qu'elle a pu se résoudre à nous signer mutuellement une promesse de mariage.

HARPAGON – Ma fille t'a signé une promesse de mariage ?

---

1. profané : dégradé.   **2. extravaguer :** délirer.

VALÈRE – Oui, Monsieur, comme de ma part je lui en ai signé une.

HARPAGON – Ô ciel! autre disgrâce[1]!

L'Avare, acte V, scène 3, Molière (1668).

LES FIANCÉS DE LOCHES

Gévaudan, son frère Alfred et sa sœur Laure arrivent de Loches pour se marier à Paris. Pour cela, ils se rendent dans une agence matrimoniale mais se retrouvent sans le savoir, dans une agence de placement pour domestiques.

ACTE I, SCÈNE 10. SÉRAPHIN, GÉVAUDAN, LAURE, ALFRED.

SÉRAPHIN, *allant au bureau et s'asseyant* – Voyons! Qu'est-ce que vous voulez?

GÉVAUDAN, *faisant l'aimable* – Eh! eh! vous devez bien le deviner… cher et honorable agent!

SÉRAPHIN – Vous voulez que je vous place?

GÉVAUDAN – Voilà! Eh! eh! (*À part.*) Il a des mots drôles.

[…]

SÉRAPHIN – […] Voyons! avez-vous déjà fait du service?

GÉVAUDAN – Je suis de la classe 62.

SÉRAPHIN – Je ne vous demande pas ça! Je vous demande si vous avez servi!

GÉVAUDAN – Eh bien, oui! sept ans!

SÉRAPHIN – Où ça?

GÉVAUDAN – Au 25e dragons!

SÉRAPHIN – Ah! çà, est-ce que vous avez bientôt fini! Vous m'avez l'air d'un fumiste, vous!

GÉVAUDAN, *indigné* – Fumiste!… Je suis droguiste[2].

SÉRAPHIN, *à part* – Droguiste! Et il veut se placer! (*À Gévaudan.*) Ça n'a donc pas été les affaires?

GÉVAUDAN – Pourquoi ça?

SÉRAPHIN – Dame! que je vous vois ici!

GÉVAUDAN, *à Laure et à Alfred* – Est-il bête? (*Haut.*) On est droguiste… Est-ce qu'on n'est pas homme tout de même?

---

1. disgrâce : perte de la faveur d'une personne dont on dépend.

2. droguiste : personne qui tient une droguerie, c'est-à-dire un commerce de produits courants (produits de ménage, de toilette, d'entretien, etc.).

SÉRAPHIN – Après tout, ça vous regarde ! (*Le considérant.*) Euh ! Feriez-vous un bon chasseur ?

GÉVAUDAN – Non ! Je suis myope ! (*À part.*) Qu'est-ce que ça peut lui faire ?

SÉRAPHIN, *à part* – Il est très décousu !

GÉVAUDAN – Seulement, je pêche à la ligne.

SÉRAPHIN – Ah ! quelle huître !... Mais je m'en fiche que vous pêchiez à la ligne !

GÉVAUDAN – Ah ?... bon ! (*À part.*) Il n'est pas pêcheur... (*Haut.*) Eh bien, cher et honorable agent, vous le savez comme moi, la droguerie est la fille de la médecine.

SÉRAPHIN – Bon ! Qu'est-ce qu'il raconte, maintenant ?

GÉVAUDAN – La droguerie, c'est moi, c'est la médecine qu'il me faut !

SÉRAPHIN – Vous voulez vous purger ? On ne se purge pas ici !

GÉVAUDAN – Qu'est-ce qui vous parle de se purger ? Je voudrais de préférence que vous me fassiez entrer dans une famille de médecin.

SÉRAPHIN, *à part* – De médecin ! de médecin ! (*Se levant.*) Mais au fait !... le docteur Saint-Galmier ! un maître d'hôtel, une femme de chambre, un groom[1] ! Voilà mon affaire ! Si je lui collais cette fournée-là ! (*Haut.*) Dites donc ! Ça vous irait-il de rentrer dans la même famille ?

GÉVAUDAN – Dans la même famille ! Mais c'est le rêve !

LAURE – Ne pas nous quitter !

TOUS, *s'embrassant* – Ah ! mon frère ! Ah ma sœur ! Ah mon frère !

SÉRAPHIN – Tiens ! Ils s'embrassent ! Eh bien, ils sont bêtes, mais ils ont bon cœur ! Je crois que ça fera de braves domestiques !... Et puis, s'ils sont mauvais, on les flanquera à la porte...

GÉVAUDAN, *à Séraphin* – Dites donc ! Une question ! (*À Laure.*) Attends, ma sœur. (*À Séraphin, avec importance.*) Ce sont des gens bien au moins que vous nous proposez là ?...

SÉRAPHIN – Parbleu ! la famille du docteur Saint-Galmier !

GÉVAUDAN, *remontant à gauche vers Alfred et Laure* – À la bonne heure ! parce que, sans cela !... Je les flanque à la porte, moi.

SÉRAPHIN, *à part* – Il est superbe !

Les Fiancés de Loches, acte I, scène 10, Georges Feydeau (1888).

---

1. *un groom* : un domestique.

Bibliographie, filmographie et discographie

Écouter de la musique du XVIIᵉ siècle

CD Erato/Radio-France (n° 2292-45002-2) : *les Musiciens du Louvre*, Marc Minkowski, 1990 : il contient, entre autres, la musique composée par Marc Antoine Charpentier pour *Le Malade imaginaire*.

Regarder un film

Film d'Ariane Mnouchkine : *Molière ou la Vie d'un honnête homme* (1978).

Rire des farces de Molière

La Jalousie du barbouillé ; Le Docteur amoureux ; Le Médecin volant ; Les Précieuses ridicules ; Le Médecin malgré lui.

Rire des comédies-ballets de Molière

Monsieur de Pourceaugnac ; Le Bourgeois gentilhomme ; La Comtesse d'Escarbagnas.

D'autres pièces de Molière à lire dans la collection Bibliocollège

Le Médecin malgré lui ; Les Fourberies de Scapin ; Les Femmes savantes (à paraître) *; Le Bourgeois gentilhomme* (à paraître) *; L'Avare* (à paraître).

Imprimé en Italie par «La Tipografica Varese S.p.A.»

Dépôt légal : Mars 2009 - Collection n° 46 - Edition n° 11 - **16/7840/8**